Manger santé

Sous la supervision scientifique de
Isabelle Huot, Dt.P. Ph.d
François Melançon, M.D.

Manger santé

RUDEL MÉDIAS

COLLECTION LE PETIT MÉDECIN DE POCHE
Éditrice : Danièle Rudel-Tessier
drudel@rudelmedias.ca
Directeur médical : Dr François Melançon
edito@rudelmedias.ca

Rédaction : Céline Trempe, Julie Aubé
Superviseurs scientifiques : Isabelle Huot et Dr François Melançon
Réviseur : Gilles Giraud
Mise en pages : Folio infographie
Couverture : Josée Lalancette
Photo de la couverture : SuperStock

RUDEL MÉDIAS
3651, rue Clark
Montréal (Québec)
H2X 2S1
Téléphone : 514-845-5594
info@rudelmedias.ca

Imprimé par Imprimerie Lebonfon inc.

ISBN 2-923117-16-6

Dépôt légal – Bibliothèque et Archives nationales du Québec, 2006

Mot du directeur médical

J'ai commencé à m'intéresser à la nutrition pour deux raisons. D'une part, je suis gourmand : l'intérêt était là ! D'autre part, même si j'appliquais à la lettre les recommandations des organisations médicales, l'état de certains de mes patients continuait à se détériorer : les hypertendus évoluaient vers l'AVC ou l'infarctus, les diabétiques finissaient par faire de l'insuffisance rénale et, après quelques années, ceux qui avaient eu un cancer le voyaient revenir de plus belle.

J'allais de frustration en frustration... Puis, un jour, je me suis souvenu d'avoir lu quelque part un article sur la remarquable longévité d'un peuple de la Méditerranée, les Crétois. J'ai fait des recherches et je me suis rendu compte que la solution aux problèmes de mes patients se trouvait littéralement sous leur nez : dans leur assiette !

Une saine alimentation favorise et entretient la santé. L'absence d'une saine alimentation favorise au contraire l'apparition de nombreuses maladies chroniques. Et le plus beau dans tout ça, c'est que manger santé est facile et absolument délicieux. Ce petit livre vous en convaincra.

À vos assiettes !

Dr François Melançon
Médecin de famille

Manger santé est une fête pour les yeux, le nez, le palais et la langue. Des couleurs plein nos assiettes, des arômes enivrants, des saveurs et des textures qui excitent nos papilles... Manger santé est une invitation au plaisir. Le plaisir de cuisiner des aliments frais et savoureux, le plaisir de découvrir, le plaisir de partager, le plaisir... de varier nos plaisirs !

Car manger santé, ce n'est pas seulement veiller à la valeur nutritionnelle des aliments, à l'équilibre des repas et au respect des rythmes alimentaires, c'est aussi une affaire de gourmandise.

Le goût au service de la prévention des maladies? Tout à fait ! Car c'est en étant gourmand de tomates, de bleuets, d'amandes, d'ail, de soja, de saumon et de brocoli que vous maintiendrez un poids santé et que vous obtiendrez toute l'énergie dont vous avez besoin. Et, qui plus est, que vous lutterez contre les grands maux de ce siècle, tels que les maladies cardiovasculaires et le cancer.

Comment mettre goût et santé dans notre assiette?

Sélectionnez vos aliments. Paradoxalement, l'abondance alimentaire dans laquelle nous vivons ne nous met pas à l'abri des carences nutritionnelles, car nous sommes envahis par des aliments raffinés qui ont perdu une bonne partie de leurs éléments nutritifs et qui rivalisent de séduction pour nous appâter. Redécouvrez les « vrais » aliments (c'est-à-dire ceux qui sont le moins transformés possible) et vous découvrirez leurs vertus.

Variez les saveurs. Mariez les textures. Soyez curieux de goûts et de parfums nouveaux : vous vivrez des expériences gastronomiques insoupçonnées tout en obtenant tous les nutriments dont vous avez besoin.

Cuisinez. Nul besoin d'être un grand chef et de disposer de beaucoup de temps pour se faire une assiette santé : mettre au four un filet de saumon et verser un filet d'huile d'olive sur des rondelles de tomate n'est guère plus difficile que de faire réchauffer un repas préparé en usine.

Comment être sûr d'avoir une alimentation équilibrée ?

Aucun aliment ne peut à lui seul procurer tout ce qui nous est nécessaire en protéines, glucides, lipides, vitamines et minéraux. Si vos repas sont variés et si les principaux groupes d'aliments y sont représentés quotidiennement, vous vous assurez une alimentation équilibrée qui vous fournira les éléments nutritifs nécessaires au maintien de votre santé.

Quels sont les différents groupes d'aliments?

On pourrait classer les aliments en sept groupes: «produits céréaliers» (céréales, pâtes, riz, etc.), «légumes», «fruits», «produits laitiers» (lait, yogourt, fromage, etc,), «viandes et substituts» (viandes, poissons, fruits de mer, volaille, légumineuses, œufs, noix, graines, tofu), «matières grasses» (huile, beurre, margarine) et «sucreries»... le seul groupe qui peut être éliminé de votre régime alimentaire!

Qu'est-ce qu'une calorie?

La calorie est l'unité de mesure de la quantité d'énergie fournie à notre organisme par les aliments. Mais les calories étant trop petites pour correspondre à la réalité, on utilise couramment les kilocalories (kcal ou Calorie avec une majuscule), c'est-à-dire 1000 calories.

1 kilocalorie (kcal) = 1 Calorie (Cal) = 1000 calories (cal)

L'énergie des aliments se mesure aussi en kilojoules (kJ): 1 kilojoule (kJ) = 0,239 kilocalorie ou 1 kcal = 4,184 kJ. Mais au Canada, l'usage des kcal est plus fréquent.

L'énergie fournie par les aliments est nécessaire au bon déroulement des fonctions les plus diverses de l'organisme: la croissance et le renouvellement des cellules, la digestion, le travail musculaire, cardiaque, hormonal, respiratoire, etc.

Si l'alimentation ne fournit pas suffisamment de calories à l'organisme, celui-ci couvre ses besoins énergétiques en ayant recours à l'énergie stockée dans ses propres tissus. Inversement, si l'alimentation procure trop de calories pour les besoins, l'organisme ajoutera du surplus à ses réserves sous forme de graisse.

Quels sont nos besoins énergétiques quotidiens ?

Nos besoins énergétiques sont fonction de notre dépense énergétique. Le simple fait d'exister (la respiration, le maintien de la température corporelle et la fonction des organes au repos) représente environ 60 % à 70 % du total de notre dépense énergétique. Même la digestion exige de l'énergie – environ 10 % de notre dépense énergétique totale ! D'autres facteurs, tels que la maladie, la maternité, la croissance, l'activité physique, génèrent une dépense calorique supplémentaire.

Les besoins énergétiques quotidiens d'un adulte ayant une activité physique modérée varient, selon le poids, la taille, l'âge et la composition de son organisme, entre 1800 à 2400 Cal pour une femme et entre 2000 à 2900 Cal pour un homme. Une activité physique importante, occasionnée par un travail de force ou un sport d'endurance, entraînera bien sûr des besoins énergétiques quotidiens plus grands, pouvant grimper jusqu'à 3200 à 3700 Cal pour un homme et 2800 à 3150 Cal pour une femme.

Il est essentiel de connaître vos besoins énergétiques quotidiens afin d'y adapter vos apports caloriques.

Comment établir l'apport énergétique dont nous avons besoin ?

L'apport énergétique varie selon les périodes de la vie, l'activité, le poids, la taille et l'âge de chaque individu. Par exemple, pour un nourrisson de deux mois, dont les besoins liés à la croissance sont énormes : plus de 110 Calories par kilogramme de poids corporel ! Dans les mêmes proportions, cela correspondrait à 7700 Calories pour un adulte de 70 kg !

Une autre poussée de croissance importante survient durant l'adolescence, où les besoins énergétiques augmentent à peu près jusqu'à l'âge de 15 ans pour les filles et jusqu'à environ 19 ans pour les garçons.

Âge	Garçons	Filles
10-12 ans	2500 Cal	2200 Cal
13-15 ans	2800 Cal	2200 Cal
16-19 ans	3200 Cal	2100 Cal

Les besoins caloriques sont supérieurs chez les garçons en raison d'un gain plus élevé de masse musculaire combiné à une croissance plus importante.

La femme adulte possède une masse grasse plus importante que l'homme, qui a, en contrepartie, une masse maigre (muscles, organes, etc.) supérieure à celle de la femme. Cela explique que les besoins énergétiques d'un homme sont supérieurs à ceux d'une femme puisque le maintien de la masse maigre demande plus d'énergie que le maintien de la masse grasse. Toutefois, la femme enceinte ou celle qui allaite verra son métabolisme de base augmenter : ses besoins énergétiques seront donc liés à son état.

Avec les années, les réserves nutritionnelles baissent, les muscles fondent et ceux qui restent n'ont plus le même tonus : ils sont remplacés par du tissu fibreux et de la graisse. Le métabolisme de base chute, ce qui fait que les besoins énergétiques diminuent : il faut donc manger moins pour conserver son poids. Les besoins énergétiques d'une personne âgée de plus de 65 ans (homme ou femme) ayant une activité physique modérée sont de 1500 à 2300 Cal par jour.

Qu'est-ce que le métabolisme ?

Si on compare un organisme vivant à une machine, le métabolisme désigne l'ensemble des réactions chimiques nécessaires à son bon fonctionnement et les échanges d'énergie impliqués dans ces réactions. Le métabolisme décrit tous les phénomènes de construction et de dégradation des molécules du corps, de même que les réactions de fabrication d'énergie (catabolisme) et d'utilisation de cette même énergie pour la fabrication et la réparation des structures moléculaires du corps (anabolisme). Les hormones servent de régulateurs au métabolisme, mais il existe des facilitateurs (catalyseurs) des réactions du métabolisme : ce sont les enzymes, des protéines hautement spécialisées et spécifiques à chaque réaction. Le système respiratoire fournit l'oxygène nécessaire au bon fonctionnement des réactions chimiques et le système digestif fournit la matière première. Le système vasculaire, pour sa part, sert d'autoroute et de transporteur.

Qu'est-ce que le métabolisme de base ?

Le métabolisme de base (ou basal) est la quantité d'énergie dont l'organisme a besoin au repos. C'est l'énergie dont nous avons besoin pour respirer, faire battre notre cœur et maintenir notre température corporelle. Cette énergie s'exprime en kilocalories (kcal ou Cal). Le métabolisme de base dépend de plusieurs facteurs, dont l'âge, le sexe, le poids et la température ambiante.

Calculez votre métabolisme de base

L'Organisation mondiale de la santé (OMS) a proposé des équations basées sur le poids, l'âge et le sexe pour calculer le métabolisme basal d'un individu.

Âge	Équation pour un homme (en kcal/jour)	Équation pour une femme (en kcal/jour)
0-3	(60,9 x P) - 54	(61,0 x P) - 51
3-10	(22,7 x P) + 495	(22,5 x P) + 499
10-18	(17,5 x P) + 651	(12,2 x P) + 746
18-30	(15,3 x P) + 679	(14,7 x P) + 496
30-60	(11,6 x P) + 879	(8,7 x P) + 829
60 +	(13,5 x P) + 487	(10,5 x P) + 596

Dans le tableau de la page précédente, P représente le poids en kilogrammes. Selon cette formule, on obtient, pour une femme de 50 ans pesant 66 kg : (8,7 x 66) + 829 = 1403,2 Cal par jour. Pour plus de précision, on peut ajouter la variable taille au calcul du métabolisme de base (T représente la taille en mètre).

Âge	Équation pour un homme (en kcal/jour)	Équation pour une femme (en kcal/jour)
10-18	(16,6 x P) + (77 x T) + 572	(7,4 x P) + (482 x T) + 217
18-30	(15,4 x P) - (27 x T) + 717	(13,3 x P) + (334 x T) + 35
30-60	(11,3 x P) + (16 x T) + 901	(8,7 x P) - (25 x T) + 865
60 +	(8,8 x P) + (1128 x T) - 1071	(9,2 x P) + (637 x T) - 321

Si l'on reprend l'exemple d'une femme de 50 ans pesant 66 kg et qu'on ajoute qu'elle mesure 1,68 m, on arrive à l'équation suivante : (8,7 x 66) - (25 x 1,68) + 865 = 574,2 - 42 + 865 = 1397,2 Cal par jour pour son métabolisme de base, en fonction de son âge, de son poids et de sa taille.

Comment doivent être répartis nos apports caloriques quotidiens ?

Mangez trois repas par jour, plus une ou deux collations. À commencer par un petit-déjeuner nutritif et énergétique. Pourquoi ? Parce que, pendant la nuit, notre métabolisme ralentit et notre glycémie (le taux de sucre dans le sang) chute. Votre premier repas de la journée doit être constitué d'aliments de tous les groupes, tout comme les deux autres repas. Quant à vos collations, elles ne doivent surtout pas être du grignotage, mais une pause alimentaire structurée qui aide à atteindre plus facilement les recommandations d'une alimentation équilibrée.

La composition des aliments

Les principaux composants des aliments sont les glucides, les lipides, les protéines, les vitamines, les minéraux et l'eau. Tous ces éléments sont indispensables à la construction du corps, non seulement durant sa croissance et son développement, mais durant toute la vie ; ils assurent le renouvellement continu de nos milliards de cellules, le bon fonctionnement de notre organisme et sa défense contre les maladies.

Comprendre le rôle des composants nutritionnels des aliments est une étape importante pour manger santé.

Que sont les glucides ?

1g = 4 Cal

Les glucides (ou sucres ou hydrates de carbone) sont notre première source d'énergie et constituent en quelque sorte notre carburant. Entre 50 % et 60 % de notre énergie quotidienne devrait être fournie sous forme de glucides.

Pour être assimilables par le corps, les glucides que nous mangeons doivent être réduits en leur forme la plus simple : les monosaccharides, l'unité de base des glucides.

Un taux normal de glucose dans le sang (la glycémie) à jeun est de 3,8 à 6,1 mmol par litre (soit environ 1 gramme par litre). Ce taux varie au cours de la journée: par exemple, il augmente naturellement après un repas, mais il est plutôt bas le matin lorsqu'on est à jeun. C'est une hormone sécrétée par le pancréas, l'insuline, qui est en quelque sorte la clé qui sert à faire entrer les unités de glucose dans les cellules. Si l'insuline est déficiente ou en quantité insuffisante, le glucose s'accumule dans le sang, ce qui fait augmenter la glycémie. On parle de diabète lorsque la glycémie à jeun est supérieure à 7 mmol par litre.

Le corps dispose d'une réserve de glucose sous forme de glycogène. Il s'agit de longues chaînes de glucose ramifiées qui logent dans le foie et dans les muscles. Le glycogène joue un rôle important dans la régulation de la glycémie ainsi que dans le processus énergétique de la contraction musculaire. Par exemple, les réserves de glycogène peuvent être mobilisées lorsque le taux de sucre dans le sang commence à baisser, comme lors de la pratique d'une activité physique prolongée. L'insuline stimule la production de glycogène tandis que le glucagon (une autre hormone sécrétée par le pancréas) et l'adrénaline commandent sa dégradation en vue d'une utilisation par le corps.

On classe les glucides en deux familles: les glucides simples et les glucides complexes.

Les glucides simples, ou sucres rapides, sont composés d'une ou de deux molécules (monosaccharides ou disaccharides). Ce sont le fructose, le saccharose, le lactose, le glucose, le galactose et le maltose. Ils sont rapidement assimilés par l'organisme.

On trouve le fructose dans les fruits ou dans certains légumes, comme les tomates, les choux, les carottes et les betteraves.

Le saccharose ou sucrose (un disaccharide formé d'une unité de glucose et d'une unité de fructose) est issu de la canne à sucre ou de la betterave à sucre. C'est le sucre que l'on utilise dans les bonbons, les confiseries, les pâtisseries ou les confitures.

Le lactose (glucose-galactose) est un autre disaccharide que l'on trouve dans le lait et dans tous les produits laitiers. Certaines personnes sont intolérantes au lactose, c'est-à-dire qu'elles sont déficientes en lactase, l'enzyme qui a pour fonction de scinder le glucose et le galactose pour rendre possible la digestion du lactose. La transformation et la fermentation des produits laitiers diminuent les quantités de lactose de façon importante, ce qui explique que quelqu'un qui est intolérant au lactose peut quand même manger plusieurs types de fromages ou du yogourt.

Le maltose (glucose-glucose), ou sucre de malt, se trouve dans les grains d'orge.

Les glucides simples limitent la baisse du glucose sanguin, ce qui épargne les réserves de glycogène hépatique et musculaire, notamment au moment d'un effort musculaire.

Les glucides complexes, ou sucres lents, sont composés de plusieurs molécules (polysaccharides). Ce sont des sources d'énergie de longue durée. Le pain, les pâtes, le riz, les céréales complètes, les pommes de terre et les légumineuses sont des aliments qui contiennent des glucides complexes.

Les principaux sont l'amidon et les fibres alimentaires.

L'amidon fait partie des polysaccharides assimilables, c'est-à-dire qu'ils subissent, lors de la digestion (*voir page 135*), l'action de plusieurs enzymes qui ont pour fonction de diviser les chaînes de glucose en monosaccharides. L'amidon n'a pas vraiment de pouvoir sucrant comme les sucres simples. Par contre, il a la capacité d'épaissir les préparations (pensons à la sauce béchamel). Dans l'alimentation, les principales sources d'amidon sont les produits céréaliers, les légumineuses et certains tubercules (pomme de terre, manioc, etc.)

Les fibres alimentaires, quant à elles, sont des polysaccharides non assimilables : nous n'avons pas les enzymes nécessaires pour les digérer, si bien qu'elles passent directement dans le côlon.

Les fibres se divisent en deux catégories : les fibres solubles (fèves, avoine, pectine) et les fibres insolubles (grains entiers, légumes, fruits). Les premières, comme leur nom le dit, se dissolvent dans l'eau. C'est pourquoi elles gonflent une fois ingérées, ce qui a plusieurs effets positifs pour la santé (modification de la vitesse d'absorption des sucres, réduction du taux de cholestérol, protection possible contre le cancer du côlon, etc.). Quant aux fibres insolubles, elles facilitent le transit intestinal, favorisent la régularité des selles et semblent offrir une protection contre le cancer du côlon. De plus, les fibres créent une sensation de satiété qui facilite le contrôle de l'apport calorique et peut favoriser le maintien du poids.

Qu'est-ce que l'indice glycémique ?

L'indice (ou index) glycémique (IG) permet de mesurer la capacité d'un aliment à faire varier le taux de glucose dans le sang. Les aliments ont été classés par rapport à une valeur de référence fixée à 100, qui est l'IG de 50 g de glucose pur ou d'une tranche de pain blanc (IG faible [moins de 55], IG moyen [de 55 à 70] ou IG élevé [plus de 70]). Quand l'IG dépasse 50, l'aliment fait grimper le taux d'insuline. Certaines études ont associé une trop grande consommation d'aliments à IG élevé à une augmentation potentielle du risque de certaines maladies telles que les maladies cardiovasculaires et l'obésité. Exemples d'aliments à IG élevé : les croissants, le riz blanc, la bière, les pommes de terre, les dattes, les carottes cuites, le melon, les bananes, les betteraves.

Certains aliments à IG élevé contiennent, proportionnellement, peu de sucres. C'est ce qui a mené à la création d'un nouveau concept : la charge glycémique.

Qu'est-ce que la charge glycémique ?

Tandis que l'IG donne la mesure de la qualité des glucides, la charge glycémique considère la quantité de glucides présents dans la portion d'aliment réellement consommée, ce qui est plus précis. Elle s'obtient en multipliant l'IG par la quantité de glucides (en grammes) présents dans la portion d'aliments que vous consommez, puis en divisant par 100. La charge glycémique d'un aliment est considérée comme basse lorsqu'elle est inférieure à 10 et comme élevée à partir de 19. Exemple : une tasse de flocons d'avoine a un indice glycémique de 61 et une charge glycémique de 12. Les aliments à charge glycémique faible ou modérée sont intéressants, car ils sont souvent riches en fibres et rassasient plus longtemps.

Que sont les lipides ?

1 g = 9 Cal

Les lipides, ou graisses, font partie de la structure des membranes des cellules et participent à la synthèse des hormones. Ils donnent une texture onctueuse aux aliments et devraient fournir de 20 % à 35 % de l'énergie quotidienne. Les lipides peuvent rapidement faire augmenter notre apport calorique puisqu'ils fournissent beaucoup plus d'énergie par gramme que les glucides et les protéines.

Les lipides, qu'on appelle acides gras, sont des chaînes d'atomes de carbone. Ces acides gras se caractérisent par le nombre de molécules de carbone qu'ils contiennent ainsi que par la façon dont les atomes de carbone sont reliés entre eux (liaisons simples ou doubles). Ces facteurs influenceront le comportement des différentes molécules de lipides.

Les acides gras sont dits **monoinsaturés** lorsqu'il n'y a qu'une seule double liaison entre les atomes de carbone de la chaîne. Ils ont bonne réputation, car ils protègent, entre autres, contre les maladies cardiovasculaires en réussissant la prouesse de faire diminuer le taux de mauvais cholestérol (LDL) tout en élevant le taux de bon cholestérol (HDL). Le plus connu des acides gras monoinsaturés est l'acide oléique, principale composante de l'huile d'olive. On retrouve également des acides gras monoinsaturés dans l'huile de canola, les avocats ou certaines noix (noix de cajou, pacanes, amandes et arachides).

Les acides gras sont dits **polyinsaturés** lorsqu'ils contiennent plus d'une double liaison entre leurs atomes de carbone. Ils ont eux aussi une action favorable sur le cholestérol sanguin. De plus, certains d'entre eux sont dits essentiels, car ils ne sont pas fabriqués par l'organisme, mais ils sont nécessaires à son développement et à son fonctionnement. Il s'agit des acides gras alphalinolénique (oméga-3) et linoléique (oméga-6). Il est donc indispensable de les obtenir par notre alimentation.

Que sont les oméga-3 ?

On en entend beaucoup parler, mais que sont-ils exactement? Les oméga-3 (W-3 ou n-3), que l'on trouve notamment dans les graines de lin et les poissons gras, sont ainsi nommés du fait que la première liaison double de cette molécule polyinsaturée se trouve sur le troisième atome de carbone d'un groupement d'atomes appelé oméga.

Il a été démontré que les W-3 ont des effets protecteurs sur le cœur et le système cardiovasculaire. Les oméga-3 interviennent dans la constitution et l'intégrité des membranes cellulaires, dans le fonctionnement du système cardiovasculaire, du cerveau et du système

Les meilleures sources végétales d'oméga-3	
Huile de lin 15 ml	7,5 g
Graines de lin moulues 15 ml	1,9 g
Huile de canola 15 ml	1,6 g
Huile de soja 15 ml	0,9 g
Noix de Grenoble 15 ml	0,4 g
2 œufs oméga-3	0,765 g

hormonal ainsi que dans la régulation de l'humeur et des processus inflammatoires. Et on ne cesse de découvrir qu'ils ont d'autres cordes à leur arc...

Les W-3 sont soit d'origine végétale sous forme d'acide alphalinolénique (ALA), soit d'origine marine sous forme d'acide docosahexaénoïque (DHA) et d'acide eicosapentaénoïque (AEP). Les oméga-3 végétaux se retrouvent surtout dans les graines de lin, les graines de chanvre, l'huile de canola et les noix de Grenoble, et les oméga-3 d'origine marine, dans les poissons gras (saumon, thon frais, sardines, etc.). Une partie de l'ALA sera transformé en acide gras à chaîne plus longue, comme ceux que l'on retrouve dans le poisson.

Les quantités quotidiennes dont notre organisme a besoin sont de 1,6 g d'ALA par jour pour les hommes et de 1,1 g pour les femmes. Cela correspond à une cuillerée à soupe (15 ml) de graines de lin moulues, à sept noix de Grenoble, à deux tranches de pain enrichi aux oméga-3 ou encore à deux cuillerées à soupe d'huile de canola. Un œuf oméga-3 comble environ le tiers des

Les meilleures sources marines d'oméga-3	
Saumon cru 100 g	2,0 g
Truite crue 100 g	1,2 g
Maquereau cru 100 g	2,5 g
Sardines 100 g	1,5 g
Thon, morue, crevette, crabe 100 g	1,5 g

besoins pour une journée. Ces œufs proviennent de poules nourries aux graines de lin.

Que sont les oméga-6 ?

Issus d'huiles de maïs, de tournesol et de soja, les acides gras essentiels oméga-6 (W-6) participent à l'élaboration d'acides gras hautement insaturés, qui sont, entre autres, importants pour système nerveux et le système immunitaire. Les besoins quotidiens sont de 11 g à 12 g pour les femmes et de 17 g pour les hommes.

Contrairement aux W-3, pour lesquels il est parfois difficile de combler ses besoins quotidiens, les W-6 sont abondants dans l'alimentation et donc les déficits sont rares. Même que dans l'alimentation classique nord-américaine, l'apport en W-6 est souvent trop élevé proportionnellement à l'apport en W-3. Ainsi, consommés en trop grande quantité, les W-6 peuvent empêcher les acides gras W-3 de jouer leur rôle, notamment sur le plan de la protection cardiovasculaire et anticancéreuse, et ils pourraient même provoquer des maladies inflammatoires comme l'asthme ou l'arthrite.

Les meilleures sources d'oméga-6	
Graines de tournesol 60 ml	10-13 g
Noix de pin 60 ml	11 g
Noix de Grenoble 60 ml	11 g
Huile de pépins de raisin 15 ml	10 g
Huile de tournesol 15 ml	9 g
Graines de sésame 60 ml	8 g
Huile de maïs 15 ml	8 g
Huile de noix 15 ml	7 g
Huile de sésame 15 ml	6 g
Arachides 60 ml	6 g
Huile de tournesol 15 ml	6 g
Huile d'arachide 15 ml	5 g

Les acides gras sont dits **saturés** lorsqu'ils ne comportent aucune liaison double. Ces acides gras, qui sont solides à la température de la pièce, se trouvent dans des graisses végétales comme les huiles de coco et de palme, et dans plusieurs produits d'origine animale comme le gras des viandes, le saucisson, la crème ou le beurre. Une trop grande consommation augmente les risques de maladies cardiovasculaires puisque ces gras tendent à faire augmenter le taux de mauvais cholestérol (LDL). On ne doit pas nécessairement les bannir de l'alimentation, mais il faut veiller à ce que leur apport n'excède pas 10 % de l'énergie totale quotidienne.

Les acides gras trans sont obtenus par hydrogénation, un procédé industriel qui permet de transformer, sous hautes pression et température, une huile liquide en un gras semi-solide à la température de la pièce. C'est bien pratique pour l'industrie alimentaire puisque ce processus améliore la texture des produits et augmente leur durée de conservation. Par contre, les acides gras trans sont les plus nocifs pour la santé : en plus de faire augmenter le taux de mauvais cholestérol (LDL), ils font baisser le taux de bon cholestérol (HDL). De plus, les gras trans augmentent les risques de maladies cardiovasculaires et pourraient jouer un rôle dans des maladies dégénératives du cerveau comme la maladie d'Alzheimer.

On retrouve ce type de gras dans de nombreux (pour ne pas dire trop !) produits commerciaux : biscuits, beignes, craquelins, croustilles, margarine hydrogénée et tous les aliments qui en contiennent, etc.

Qu'appelle-t-on bon et mauvais cholestérol ?

Le cholestérol a deux origines : il peut être produit par notre organisme (foie, intestin, etc.) ou provenir de notre alimentation.

Il a des rôles multiples : constituant indispensable de nos cellules, précurseur des hormones stéroïdiennes (dont les hormones sexuelles), acteur de la synthèse de la vitamine D par la peau, etc.

Le cholestérol est véhiculé dans le sang par des systèmes de transport aux rôles très différents : les LDL (lipoprotéines de faible densité) et les HDL (lipoprotéines de haute densité). Tandis que les LDL transportent le cholestérol du foie aux organes et aux artères, les HDL récupèrent le surplus de cholestérol dans l'organisme et le rapportent au foie, où il est éliminé. C'est pourquoi on parle de « mauvais » et de « bon » cholestérol. Lorsque le taux de LDL est trop important par rapport au taux de HDL, du cholestérol se dépose dans les organes et les artères. Il se forme alors, petit à petit, de véritables plaques de graisse qui vont, avec le temps, gêner la circulation sanguine et éventuellement entraîner la formation de caillots, avec toutes les conséquences malheureuses pour la santé que cela implique (maladies cardiovasculaires). Un excès de cholestérol favorise aussi le développement de calculs biliaires.

Pour savoir si vous avez un taux de cholestérol adéquat, ne vous fiez pas seulement à votre taux de LDL, mais aussi au rapport LDL/HDL. Pour le calculer, divisez votre taux de cholestérol total par votre taux HDL. Si le résultat est inférieur ou égal à 4,5, tout va bien (plus le rapport est élevé, plus le risque cardiovasculaire est grand).

Que sont les protéines?

1g = 4 Cal

Les protéines jouent de multiples rôles : elles servent à fabriquer l'ADN, elles sont nécessaires à la reproduction, elles jouent un rôle d'entretien, elles sont essentielles à la croissance et à l'élaboration du tissu osseux, de la peau, des muscles et des membranes cellulaires, etc. En fait, elles permettent de construire et de réparer les tissus corporels. Les muscles, les organes, la peau et les cheveux, de même que les anticorps, les enzymes et les hormones sont tous faits de protéines. Elles jouent également un rôle dans le transport de l'oxygène. Qui dit mieux?

Les constituants de base des protéines sont les acides aminés, qui sont au nombre de 20. Les différentes protéines de l'organisme diffèrent entre elles non seulement par la nature des acides aminés qui les composent, mais aussi par leur nombre et leur séquence dans la chaîne protéinée.

Neuf des 20 acides aminés sont dits essentiels parce que notre organisme ne les fabrique pas : ce sont l'histidine, l'isoleucine, la leucine, la lysine, la méthionine, la phénylalanine, la thréonine, le tryptophane et la valine. Le déficit en l'un de ces acides aminés essentiels empêche l'organisme d'utiliser les 11 autres (acide aspartique, acide glutamique, alanine, arginine, asparagine, cystéine, glutamine, glycine, proline, sérine et tyrosine). Pour s'assurer d'avoir tous les acides aminés nécessaires au bon fonctionnement de notre organisme, il faut donc varier notre alimentation.

Les besoins d'un adulte sédentaire sont de 0,8 g de protéines par kilogramme de poids corporel par jour. Les protéines devraient représenter environ 15 % à 20 % de l'apport énergétique quotidien. Cet apport peut être comblé par des protéines animales (viande, volaille, poisson, œufs, produits laitiers) comme par des protéines végétales (tofu, produits céréaliers, noix, graines, légumes secs).

Équivalences

250 ml = 1 tasse
180 ml = 3/4 tasse
125 ml = 1/2 tasse
60 ml = 1/4 tasse
30 g = 1 once
1 cuillère à café = 5 ml
1 cuillère à soupe = 15 ml

Valeur nutritive de 40 aliments usuels

Aliments	Calories (kcl)	Lipides (g)	Glucides (g)	Protéines (g)
250 ml pâtes de blé entier cuites	183	1	39	8
125 ml flocons d'avoine (gruau)	208	4	37	8
125 ml riz complet (brun)	115	1	24	2
1 tranche pain blanc	65	1	12	2
1 tranche pain blé entier	69	1	13	3
125 ml brocoli cuit	29	0	6	2
1 carotte crue	33	0	8	1
125 ml betteraves cuites	40	0	9	2
125 ml maïs cuit	69	0	17	2
1 tomate crue	22	0	5	1

125 ml haricots rouges cuits	119	0	21	8
125 ml lentilles cuites	121	0	21	9
125 ml jus d'orange	59	0	14	1
1 kiwi	56	0	13	1
1 banane	102	0	26	1
1 tangerine	45	0	11	1
125 ml fraises	24	0	6	1
1 pomme	72	0	19	0
1 poire	98	0	26	1
1 œuf	72	5	0	6
15 ml huile d'olive	121	14	0	0
15 ml beurre	103	12	0	0
15 ml beurre d'arachides	95	8	3	4
90 g poitrine de poulet cuite	132	2	0	27
90 g contre-filet bœuf cuit	155	5	0	27
90 g bœuf haché maigre cuit	230	13	0	27
90 g côtelette de porc cuite	149	4	0	27
1 saucisse de porc cuite	267	21	4	15
60 g jambon cuit	87	3	1	13
60 g thon en conserve	70	0	0	15
90 g crevettes cuites	95	2	1	18
90 g sole cuite	105	1	0	22
90 g saumon cuit	160	7	0	22
90 g tofu ferme	130	8	4	14
125 ml yogourt nature 1-2 % mg	82	2	9	7
125 ml fromage cottage 1 %	86	1	3	15
30 g fromage mozzarella	84	7	1	6
30 g fromage cheddar	121	10	0	7
30 g fromage brie	100	8	0	6
250 ml lait 1 %	108	3	13	9

Que sont les vitamines?

Les vitamines sont des substances organiques essentielles à la croissance, à la reproduction et au bon fonctionnement de l'organisme; bref, elles sont essentielles à la vie, d'où leur nom (de la racine *vita*, vie).

Elles ne fournissent aucune énergie, mais plusieurs d'entre elles jouent un rôle dans la transformation des lipides, des glucides et des protéines en énergie utilisable par le corps. Chaque vitamine a un rôle spécifique et aucune ne peut en remplacer une autre. On distingue les vitamines hydrosolubles et les vitamines liposolubles.

Les vitamines hydrosolubles se dissolvent dans le sang. Elles doivent être renouvelées par l'alimentation quotidiennement, car on peut difficilement en faire des réserves dans l'organisme: lorsque le sang est filtré par les reins, les surplus de vitamines sont éliminées dans l'urine.

Vitamine B1 (thiamine)

Rôle:
La vitamine B1 intervient dans la dégradation des sucres et donc dans l'utilisation des réserves énergétiques de l'organisme. Cette vitamine joue aussi un rôle dans la transmission nerveuse. C'est pourquoi une

carence en vitamine B1, qu'on appelle le béribéri, peut provoquer des polynévrites (une atteinte des nerfs aux extrémités des membres), une pathologie qui peut être aggravée par l'alcoolisme. On rencontre rarement cette carence dans les pays développés, où les sources alimentaires de vitamine B1 sont nombreuses. Par contre, elle risque d'être plus fréquente dans les pays qui consomment presque exclusivement du riz blanc (la thiamine se trouvant dans l'enveloppe de son de la céréale).

Principales sources :
Dans l'alimentation normale nord-américaine, les produits céréaliers fournissent à eux seuls environ un tiers de l'apport quotidien en vitamine B1 grâce aux céréales complètes ou enrichies. Le groupe des viandes et substituts vient ensuite avec les légumes secs, la viande de porc, les œufs, les noix et les graines. Enfin, les légumes viennent compléter l'apport en thiamine.

Les aliments qui en contiennent le plus sont le germe de blé et la levure alimentaire avec 2 mg/100 g.

Apports quotidiens recommandés :
Hommes : 1,2 mg
Femmes : 1,1 mg

Quelques exemples :
100 g de longe de porc : 1,0 mg
60 ml de noisettes : 0,2 mg
1 tranche de pain au blé entier : 0,1 mg

Vitamine B2
(riboflavine)

Rôle :

La vitamine B2 est nécessaire à la fabrication de nombreuses enzymes. Les dérivés de cette vitamine interviennent dans la dégradation des lipides, des protéines et des glucides en vue de libérer leur contenu en énergie. De plus, la vitamine B2 est nécessaire à l'action d'autres vitamines telles que la vitamine B3, la vitamine la B6, la vitamine K ou l'acide folique.

Une carence en vitamine B2 peut causer des troubles au niveau de la peau (une inflammation autour du nez et de la bouche, par exemple), un gonflement de la langue et même un retard de croissance.

Principales sources :

Dans l'alimentation nord-américaine, environ un tiers de l'apport en riboflavine provient des produits laitiers (lait, yogourt, fromage). Les produits de boulangerie confectionnés avec de la farine enrichie, la levure, le foie et les rognons, le hareng, les huîtres, le maquereau cuit, les œufs, les noix et les graines en sont aussi de bonnes sources.

Apports quotidiens recommandés :

Hommes : 1,3 mg

Femmes : 1,1 mg

Quelques exemples :
250 ml de lait à 1 % : 0,2 mg
1 œuf : 0,2 mg
1 tranche de pain au blé entier : 0,1 mg

Vitamine B3 ou PP (*Pellagre Preventing*) (niacine)

Rôle :
La vitamine B3 intervient, comme la vitamine B2, dans la dégradation des glucides, des lipides et des protéines en vue d'utiliser leur énergie. La niacine assiste les fonctions du système nerveux et du système digestif. De plus, elle permet la respiration cellulaire et favorise une bonne circulation sanguine. Sa carence entraîne une maladie appelée la pellagre, caractérisée par des problèmes cutanés, digestifs et nerveux. Pour mieux s'en souvenir, on peut penser aux « 3 D » : dermatite, diarrhée et démence.

Principales sources :
Les principales sources de niacine sont la viande, le poisson, les produits céréaliers enrichis, la levure, les noix, les graines, les haricots, les pommes de terre, les fruits secs, les tomates et les petits pois, le lait et les légumes à feuilles vertes.

Apports quotidiens recommandés :
Hommes : 16 mg
Femmes : 14 mg

Quelques exemples:
60 g de thon en conserve (1/2 boîte): 15 mg
90 g de poitrine de poulet: 13 mg
60 ml d'amandes: 3 mg

Vitamine B5
(acide pantothénique)

Rôle:
Cette vitamine est elle aussi en grande partie responsable de la libération d'énergie et de la respiration cellulaire. Elle permet aussi le stockage de l'énergie sous forme de glycogène. On la surnomme parfois la «vitamine antistress». De plus, elle participe au bon fonctionnement du système immunitaire.

La déficience en vitamine B5 (caractérisée par de la fatigue, des maux de tête, de l'insomnie et des troubles de la coordination) est plutôt rare, car cette vitamine est largement présente dans les aliments. Généralement, ce sont les alcooliques qui ont le plus faible taux de vitamine B5.

Principales sources:
L'acide pantothénique est assez bien réparti entre les différents groupes alimentaires. La levure (en particulier la levure de bière), le foie de veau, de bœuf et de porc, les produits céréaliers à grains entiers ou enrichis, le jaune d'œuf, les arachides, le saumon, les produits laitiers et certains légumes (brocolis, champignons) en sont des exemples de bonnes sources.

Apports quotidiens recommandés :
Hommes et femmes : 5 mg

Quelques exemples :
90 g de foie cuit : 4 à 6 mg
250 ml de lait à 1 % : 0,8 mg
125 ml de champignons : 0,5 mg

Vitamine B6
(pyridoxine)

Rôle :
La vitamine B6 joue un rôle important dans le métabolisme des lipides et des glucides. Elle joue aussi un rôle dans la synthèse de l'hème (un constituant de l'hémoglobine) et de différents neurotransmetteurs. Elle aide au bon fonctionnement du système immunitaire, des muscles et du cerveau. Sa carence (assez rare) provoque surtout des problèmes nerveux, mais aussi des problèmes cutanés, des dépressions, de l'anémie et des problèmes immunitaires.

Principales sources :
Dans l'alimentation nord-américaine, ce sont le groupe des légumes et fruits ainsi que le groupe des viandes et substituts qui contribuent le plus à l'apport en vitamine B6. Le soja, la levure, les bananes, les noix et les pommes de terre, le riz complet, le lin, les arachides, le poisson (surtout le saumon, la truite, le maquereau

et le flétan), le germe de blé, le chou et les oranges en sont aussi des sources intéressantes.

Apports quotidiens recommandés :
Hommes et femmes jusqu'à 50 ans : 1,3 mg
Hommes et femmes de plus de 50 ans : 1,5-1,7 mg
Femmes enceintes/allaitantes : 1,9-2,0 mg

Quelques exemples :
1 banane : 0,7 mg
1 pomme de terre moyenne (avec la peau) : 0,5 mg
90 g de saumon cuit : 0,5 mg

Vitamine B9 (acide folique)

Rôle :
Cette vitamine a notamment un rôle important dans la formation des globules rouges, dans le fonctionnement du système nerveux central et du système immunitaire, dans la synthèse de l'ADN ainsi que dans la cicatrisation des blessures et des plaies. De plus, elle permet la croissance et la reproduction cellulaire. Une carence en acide folique peut entraîner de l'anémie, de la fatigue et de l'irritabilité. Chez la femme enceinte, la carence en vitamine B9 est particulièrement importante puisqu'une déficience peut entraîner des risques pour la formation du système nerveux du fœtus (*voir page 101*).

Principales sources :
Les légumes verts (surtout les épinards, les choux de Bruxelles et les asperges), les produits céréaliers enrichis, les huîtres, la levure, les céréales (enrichies), les jus d'agrumes, les abats (foie, rognons, etc.), les avocats, le persil et les oranges.

Apports quotidiens recommandés :
Hommes et femmes : 400 µg
Femmes enceintes : 600 µg

Quelques exemples :
90 g de foie de bœuf : 198 µg
125 ml de lentilles bouillies : 188 µg
125 ml de brocoli ou d'endives : 110 µg

Vitamine B12
(cobalamine)

Rôle :
La vitamine B12 intervient dans de nombreuses réactions chimiques de l'organisme. Elle joue un rôle très important dans la synthèse de l'ADN et des globules rouges du sang, dans la division cellulaire, dans le fonctionnement du système nerveux et pour la bonne santé de la peau. Sa carence entraîne principalement de l'anémie, mais peut aussi causer d'autres troubles, tels que des problèmes d'ordre neurologique et gastro-intestinaux.

Principales sources :
Il s'agit d'une vitamine que l'on retrouve dans les aliments d'origine animale. Les végétariens qui consomment des œufs, du poisson et des produits laitiers peuvent donc combler leurs besoins par l'alimentation. Toutefois, c'est beaucoup plus ardu pour les végétaliens ou les végétariens stricts qui ne consomment aucun aliment d'origine animale. Ceux-ci doivent se tourner vers des aliments enrichis en vitamine B12 ou vers des suppléments. Le foie et les rognons, les palourdes, les viandes rouges, le hareng, le jaune d'œuf, le thon, les huîtres sont de bonnes sources de vitamine B12.

Apports quotidiens recommandés :
Hommes et femmes jusqu'à 50 ans : 2,4 µg
À noter que l'absorption de la vitamine B12 est moins efficace avec l'âge.

Quelques exemples :
60 g de thon en conserve : 2,5 µg
90 g de longe de bœuf grillée : 1,8 µg
1 œuf : 0,6 µg

Vitamine C
(acide ascorbique)

C'est la vitamine multifonction par excellence. Certains de ses rôles sont très connus, d'autres le sont moins : la vitamine C est essentielle à plusieurs réactions dans l'organisme, dont la formation du collagène (protéines dont sont constitués plusieurs tissus du corps), la synthèse de la carnitine (substance indispensable au transport des acides gras) et des catécholamines (hormones ou neurotransmetteurs tels que l'adrénaline), etc. La vitamine C favorise aussi l'absorption du fer présent dans les aliments, elle intervient dans le métabolisme de plusieurs médicaments, elle joue également un rôle dans l'élimination des substances toxiques ainsi que dans le système immunitaire. De plus, elle a des propriétés antioxydantes, c'est-à-dire qu'elle limite les effets néfastes des radicaux libres.

Une déficience en vitamine C entraîne le scorbut. Aujourd'hui, c'est plutôt rare, mais lorsque Jacques Cartier est arrivé en Amérique après une longue traversée sans manger de produits frais, ses marins montraient des signes de scorbut (perte d'appétit, faiblesse, gencives sanguinolentes, problèmes cutanés, diminution de la résistance aux infections).

Principales sources :
Les légumes et les fruits contiennent les meilleures sources alimentaires de vitamine C : agrumes, goyave, poivron rouge, papaye, kiwi, fraises, cassis, melon, mangue, tomate, brocoli, choux de Bruxelles, etc. Très présente dans les fruits frais, elle supporte mal la chaleur. C'est pour cette raison que les confitures, les tartes et autres produits dérivés des fruits sont moins riches en vitamine C.

Apports quotidiens recommandés:
Hommes: 90 mg
Femmes: 75 mg

Quelques exemples:
1 orange: 70 mg
125 ml de fraises: 50 mg
125 ml de brocolis: 44 mg

Les vitamines liposolubles ne se dissolvent pas dans le sang, mais dans les matières grasses. Contrairement aux vitamines hydrosolubles, elles tendent donc à s'accumuler plus facilement dans l'organisme. C'est pourquoi il faut faire attention aux excès, qui risquent d'entraîner une toxicité.

Vitamine A (rétinol)

Rôle:
La vitamine A est non seulement essentielle à une bonne vision et à la formation des os et des glandes, mais également pour la santé de la peau, des dents, des ongles et des cheveux. Précurseur de la vitamine A, le bêtacarotène, pigment colorant présent dans un grand nombre de fruits et de légumes oranges ou vert foncé, est un antioxydant (*voir page 64*) qui jouerait un rôle dans la prévention du cancer et des maladies cardiovasculaires.

Principales sources :
Les légumes verts (épinards, brocolis, bettes à carde, asperges, etc.), rouges et orangés (carottes, courges, patates douces, tomates) et les fruits colorés (melon, pêche, abricot, melon d'eau). Les produits laitiers et le foie (de veau, d'agneau, de porc ou de poulet) en contiennent aussi.

Apports quotidiens recommandés :
Hommes : 900 μg
Femmes : 700 μg

Quelques exemples :
125 ml de jus de carotte : 680 μg
125 ml d'épinards bouillis : 390 μg
125 ml de melon : 136 μg

Vitamine D
(calciférol)

Rôle :
La vitamine D intervient dans l'absorption du calcium et du phosphore, qui sont tous deux indispensables à la croissance des dents et des os. Elle joue un rôle essentiel dans la minéralisation des os ainsi que dans la prévention de l'ostéoporose. Elle prévient les retards de croissance et le rachitisme (maladie résultant d'un manque de vitamine D durant la croissance et qui donne des jambes arquées et des articulations élargies).

L'action des rayons ultraviolets (UV) du soleil favorise la synthèse de la vitamine D par la peau. Un apport alimentaire de vitamine D est néanmoins important, surtout dans nos pays nordiques, puisque l'ensoleillement n'est pas suffisant pour une synthèse adéquate durant toute l'année. Surtout que la synthèse de vitamine D dépend aussi de l'âge, de la couleur de la peau, de la pollution atmosphérique et d'autres facteurs difficilement contrôlables. Comme les aliments renfermant de la vitamine D de façon naturelle sont peu nombreux, on pratique, dans divers pays (dont le Canada), l'enrichissement en vitamine D du lait et de la margarine. Depuis que cette mesure a été adoptée, les cas de rachitisme sont extrêmement rares.

Principales sources :
À part la vitamine D synthétisée par le soleil et les produits laitiers ou les boissons végétales enrichies, on en retrouve dans certains poissons (saumon, thon, anguille, huîtres, truite, hareng, huile de foie de morue, huile de foie de flétan, sardine, etc.) et dans quelques rares autres aliments (œufs et foie).

Apports quotidiens recommandés :
Hommes et femmes : 5 à 15 µg (doivent augmenter après 50 ans).

Quelques exemples :
90 g de saumon cuit : 18-20 µg
250 ml de lait : 2,3 µg
1 jaune d'œuf : environ 1 µg

Vitamine E
(tocophérol)

Rôle :
Sa principale fonction est de protéger les fragiles acides gras essentiels et d'autres substances lipidiques de la destruction par oxydation. Il s'agit donc d'un antioxydant majeur ! On lui attribue un rôle protecteur contre le développement de certains cancers (notamment celui de la prostate), de l'athérosclérose, de la cataracte, de l'angine de poitrine et de la maladie de Parkinson. Une déficience en vitamine E peut entraîner des conséquences au niveau des globules rouges, de la santé du cœur et du développement nerveux chez l'enfant.

Principales sources :
Huile de germe de blé, huile de tournesol, huile d'olive, germe de blé, orge, noisettes, amandes, arachides, noix du Brésil, soja, châtaignes fraîches, avocat, asperges et huile de foie de morue.

Apports quotidiens recommandés :
Hommes et femmes : 15 mg

Quelques exemples :
15 ml d'huile de germe de blé : 21 mg
60 ml de graines de tournesol : 8 mg
60 g de céréales de son de type All-Bran : 8 mg

Vitamine K
(phylloquinone)

Rôle :
On l'appelle la vitamine antihémorragique, car elle joue un rôle essentiel dans la coagulation du sang. Elle joue aussi un rôle dans la calcification des dents et des os. Une partie de cette vitamine K est fabriquée par des bactéries de notre intestin. Les carences sont donc rares, mais il peut y avoir un déficit chez le nouveau-né si l'apport a été insuffisant pendant la grossesse. C'est pourquoi on recommande de donner un supplément en vitamine K à la naissance.

Principales sources :
Les besoins en vitamine K sont largement couverts par l'alimentation quotidienne. On en trouve en quantité notamment dans les légumes vert foncé, tels que les choux, les épinards ou le brocoli. On en trouve aussi dans les huiles végétales, les abats, les épices, certaines algues et le germe de blé.

Apports quotidiens recommandés :
Hommes : 120 µg
Femmes : 90 µg

Quelques exemples :
125 ml d'épinards : 312 µg
125 ml de brocoli : 148 µg
125 ml de choux de Bruxelles : 148 µg

Que sont les minéraux et les oligoéléments ?

Les minéraux sont des substances inorganiques présentes dans l'organisme sous forme de sels et d'ions. Ce sont des éléments simples plutôt que des molécules. Certains se retrouvent en grande quantité dans l'organisme : ce sont des macroéléments (p. ex., calcium, phosphore, magnésium, sodium). D'autres sont présents en plus faible quantité : ce sont les oligoéléments (p. ex., fluor, cuivre, zinc).

Comme les vitamines, tous sont essentiels au bon fonctionnement de l'organisme : pour la formation des cellules et pour la santé des os, du système immunitaire, du système nerveux et de chacun de nos organes. Même s'ils ne fournissent pas d'énergie, ils peuvent participer à la libération de l'énergie des aliments afin que l'organisme puisse l'utiliser.

Les principaux minéraux

Calcium

Rôle :

Le calcium représente environ 1,5 % à 2 % de notre poids corporel ; 99 % de ce calcium est situé dans les os et les dents. C'est donc dire que sa principale fonction est de construire notre squelette, contribuant ainsi à la solidité des os et à la dureté des dents. Le calcium corporel extra-osseux (le 1 % restant) joue lui aussi divers rôles très importants dans l'organisme, soit la conduction de messages nerveux, la coagulation sanguine, la régulation de l'activité musculaire, l'activation de certaines enzymes et la transmission de signaux hormonaux.

En cas de manque de calcium, l'organisme puisera dans les os pour assurer ces fonctions vitales. Un apport insuffisant jumelé à l'inactivité physique augmente le risque de souffrir d'ostéoporose (*voir page 87*), une maladie qui fragilise les os et dont souffrent une femme sur quatre et un homme sur huit de plus de 50 ans au Canada.

Principales sources :

Dans l'alimentation nord-américaine, ce sont les produits laitiers qui constituent la principale source de calcium. Outre ceux-ci, les amandes, certains légumes verts tels que le brocoli, le saumon, les sardines avec les arêtes et le tofu coagulé avec du sulfate de calcium en sont d'autres sources.

Apports quotidiens recommandés :

Hommes et femmes jusqu'à 50 ans : 1000 mg

Hommes et femmes de plus de 50 ans : 1200 mg

Quelques exemples :

50 g de cheddar : 360 mg

250 ml de lait à 1 % : 318 mg

125 ml de saumon en conserve avec arêtes : 180 mg

Magnésium

Rôle :
Plus de la moitié du magnésium de notre corps est combinée au calcium et au phosphore (*voir pages 47 et 51*) dans nos os et nos dents. Il contribue donc, avec le calcium et le phosphore, à la formation du squelette. Le reste du magnésium se trouve en grande partie dans les cellules, où il a de multiples fonctions : activation de plusieurs enzymes, utilisation de l'énergie, transmission neuromusculaire, synthèse protéique, etc.

Les déficiences en magnésium sont plutôt rares. On peut les reconnaître par des symptômes tels que l'irritabilité, la faiblesse musculaire, les tremblements et les vertiges.

Principales sources :
Le magnésium est bien réparti dans les différents groupes alimentaires. Le chocolat, les céréales complètes, les noix et les graines, les fruits secs, les légumes verts feuillus, les légumineuses, le poisson et les bananes en contiennent aussi.

Apports quotidiens recommandés :
Hommes avant 30 ans : 400 mg (420 mg après 30 ans)
Femmes avant 30 ans : 310 mg (320 mg après 30 ans)

Quelques exemples :
100 g de flétan : 107 mg
60 ml de noisettes : 56 mg
30 ml de chocolat mi-sucré : 30 mg

Sodium

Rôle :
Le sodium et le potassium sont les deux principaux électrolytes qui servent à maintenir une distribution normale de l'eau dans les cellules et les tissus. Ils jouent aussi un rôle important dans la régulation de la tension artérielle ainsi que dans les systèmes nerveux (transmission des influx) et musculaires (contractions des muscles, incluant le cœur). Le sodium est nécessaire à l'équilibre acido-basique.

L'excès de sodium constitue un facteur de risque d'hypertension artérielle. Dans notre alimentation nord-américaine typique, les surplus de sodium sont plus à surveiller que les manques (qui peuvent toutefois se produire en cas de vomissements, de diarrhées, de sudation intense ou d'emploi de diurétiques).

Principales sources :
Environ les trois quarts du sodium ingéré quotidiennement ne proviennent pas directement de la salière, mais des aliments préparés industriellement (repas congelés, mets surgelés prêts à servir, charcuteries, craquelins, croustilles, condiments, biscuits, soupes, sauces, fro-

mage, eaux minérales, etc.). Le reste provient du sel de table et des aliments qui en contiennent naturellement (poisson, viande, lait, etc.)

Apports quotidiens recommandés:
Hommes et femmes: de 1,2 à 1,5 g, avec un maximum de 2,3 g

Quelques exemples:
250 ml de soupe minestrone du commerce: 960 mg
15 ml de sauce soja: 800 mg
50 g de fromage feta: 577 mg

Phosphore

Rôle:
En association avec le calcium, le phosphore contribue à maintenir la santé du squelette et des dents. Il participe également au fonctionnement des nerfs et des muscles, il joue un rôle dans la fabrication des cellules (il y en a dans le matériel génétique) et il participe à l'absorption et au transport de certains nutriments. De plus, il permet l'utilisation et le stockage de l'énergie: les molécules d'ATP (adénosine triphosphate) emmagasinent l'énergie. C'est en scindant les liens entre les phosphates que l'énergie est libérée.

Principales sources :
Les aliments riches en protéines sont généralement de bonnes sources de phosphore : fromage, lait, œufs, légumineuses, thon, sardines, mollusques et crustacés. Le chocolat, la levure et les produits céréaliers à base de grains entiers en sont d'autres sources.

Apports quotidiens recommandés :
Hommes et femmes : 700 mg

Quelques exemples :
250 ml de lait à 1 % : 248 mg
100 g de contre-filet de bœuf : 214 mg
100 g de crevettes cuites : 137 mg

Potassium

Rôle :
On retrouve le potassium dans le milieu intracellulaire. Tout comme le sodium, c'est un électrolyte fondamental pour l'équilibre des fluides (parce qu'il participe à une forme d'étanchéité des cellules), pour l'équilibre acido-basique, pour la transmission de l'influx nerveux et pour la contraction musculaire (dont la contraction cardiaque). Le potassium joue aussi un rôle dans le métabolisme énergétique ainsi que dans la fabrication des protéines et du glycogène.

De plus en plus d'études montrent que le potassium limite l'effet hypertenseur d'une surconsommation de sodium. En fait, la tension artérielle tend à augmenter lorsqu'il y a un déséquilibre entre le sodium et le potassium, ce qui est le cas dans l'alimentation nord-américaine typique (on consomme plus d'aliments industriels que de légumes et de fruits). Or, le potassium aurait une influence sur l'excrétion urinaire de sodium, permettant ainsi de réduire le déséquilibre sodium-potassium et, du coup, la tension artérielle.

Principales sources :
Les meilleures sources de potassium sont les légumes et les fruits (épinards, laitue, chou, tomate, carotte, pomme, orange, banane, etc.). Les produits laitiers, les légumineuses, les noix, le son de blé, les œufs, certaines viandes (bœuf, porc, poulet) et certains poissons et fruits de mer (saumon, palourdes, flétan, aiglefin et autres) en sont d'autres sources.

Apports quotidiens recommandés :
Hommes et femmes : 4700 mg

Quelques exemples :
1 banane : 454 mg
250 ml de lait à 1 % : 400 mg
1 tomate : 273 mg

Fer

Rôle :
Le fer est un élément assez répandu dans la nature (il est au quatrième rang des éléments qui constituent la croûte terrestre). Dans le corps humain, cet oligoélément est principalement présent dans les érythrocytes (communément appelés globules rouges). Les globules rouges ont une fonction d'une extrême importance, qui est de transporter l'oxygène dans tout l'organisme. Pour ce faire, chaque globule rouge renferme une structure protéique nommée « hémoglobine » du fait qu'elle contient la « globine » et l'« hème » (chaque hème porte un atome de fer).

Dans les poumons, les atomes de fer se lient de façon réversible à l'oxygène afin de voyager par la circulation sanguine pour aller porter l'O_2 (oxygène) à tous les tissus. L'oxygène se dissocie alors du fer et subvient aux besoins des cellules. Dans les muscles, le fer permet de stocker l'oxygène apporté par le sang (myoglobine).

La déficience en fer est l'une des plus répandues dans le monde, principalement dans les pays pauvres. Dans les pays développés, les personnes les plus à risque sont les femmes (pour qui les besoins en fer sont beaucoup plus élevés que pour les hommes à cause des pertes de sang menstruel) – en particulier les adolescentes et les femmes enceintes – et les amateurs de sports d'endurance. Lorsque l'organisme manque de fer, les globules rouges ont de la difficulté à transporter l'oxygène ; on parle alors d'anémie. Parmi les principaux symptômes de l'anémie par déficience en fer, il y a la fatigue, la pâleur, la perte de concentration et d'appétit, les étourdissements et les maux de tête.

Principales sources :
Dans les aliments que nous consommons, le fer existe sous deux formes. Il y a le fer hémique, présent exclusivement dans les viandes (foie, boudin, bœuf, etc.) et les poissons et fruits de mer (palourdes, crevettes,etc.). D'autre part, il y a le fer non hémique, qui constitue l'essentiel du fer des végétaux (épinards, pruneaux, raisins secs, noix, légumineuses, germe de blé, grains céréaliers entiers, son, etc.). Tandis que le taux d'absorption du fer hémique peut atteindre 25 %, celui du fer non hémique est nettement plus faible (de 2 % à 5 %.).

De plus, certains éléments sont susceptibles de réduire l'absorption du fer non hémique : les fibres, les tanins du thé, les phytates du son, entre autres. Inversement, la vitamine C et la présence de viande en augmentent l'absorption.

Apports quotidiens recommandés :
Hommes : 8 mg
Femmes : 18 mg

Quelques exemples :
100 g de bœuf : 4 mg
125 ml de lentilles cuites : 3,5 mg
125 ml d'épinards bouillis : 3 mg

Cuivre

Rôle :
Le cuivre joue plusieurs rôles différents : il mobilise le fer nécessaire à la formation de l'hémoglobine, il intervient dans le métabolisme de diverses protéines (synthèse de tissu conjonctif, de neurotransmetteurs, d'élastine, de la myéline et de la mélanine, le pigment responsable de la couleur des cheveux, des yeux et de la peau) et il participe à la protection contre les dommages oxydatifs (*voir page 64*).

Principales sources :
Comme les sources alimentaires de cuivre sont relativement bien réparties dans l'alimentation, il y a peu de carences. Les abats, les crustacés, les huîtres, les noix, les légumineuses, les céréales de grains entiers et le chocolat en sont quelques sources.

Apports quotidiens recommandés :
Hommes et femmes : 0,9 mg (900 µg)
Quelques exemples :
6 huîtres : 0,9 mg
60 ml de noisettes : 0,6 mg
125 ml de lentilles : 0,3 mg

Iode

Rôle :

L'iode est indispensable à la fabrication des hormones thyroïdiennes. D'ailleurs, de 70 % à 80 % de l'iode de notre organisme se situe dans la glande thyroïde. Les hormones thyroïdiennes sont extrêmement importantes pour la thermorégulation, la reproduction, la fonction neuromusculaire et la croissance, notamment pour le cerveau du fœtus et lors de la formation du système nerveux, ainsi qu'au cours de la puberté.

Un déficit en iode entraîne une réduction de la production d'hormones thyroïdiennes. Pour contrer cette réduction, la glande thyroïde grossit jusqu'à former une bosse dans le cou. C'est ce qu'on appelle le goitre.

Principales sources :

Au Canada, le sel est enrichi en iode et il constitue l'une des bonnes sources d'iode de notre alimentation. Les produits de la mer (algues, poisson, crustacés), les produits laitiers, le soja, les légumes (surtout s'ils ont poussé dans des régions côtières) en sont d'autres sources.

Apports quotidiens recommandés :

Hommes et femmes : 150 µg

Sélénium

Rôle :
Le sélénium est un antioxydant associé à la prévention de certains cancers (du côlon, du rectum, de la prostate entre autres). Il intervient également dans le métabolisme des hormones thyroïdiennes et dans le système immunitaire.

Un manque de sélénium peut entraîner des faiblesses et des douleurs arthritiques. Sa carence totale peut être très grave : une maladie du cœur mortelle observée en Chine, la maladie de Keshan, a disparu dès que l'alimentation a été supplémentée en sélénium. En revanche, une consommation excessive de sélénium peut provoquer la perte de cheveux, rendre les ongles cassants et friables, causer de la fatigue et de l'irritabilité.

Principales sources :
Les céréales sont une importante source de sélénium, surtout si elles ont poussé dans un sol riche en cet élément. De façon générale, les bonnes sources de sélénium sont aussi de bonnes sources de protéines : noix du Brésil, thon, rognons et foie de veau, moules, maquereau, huître crue, porc, œufs, champignons, échalote, etc.

Apports quotidiens recommandés :
Hommes et femmes : 55 µg
À noter : une ou deux noix du Brésil comblent l'apport quotidien recommandé.

Zinc

Rôle :
Le zinc intervient de diverses façons (structurale, régulatrice ou en facilitant des réactions) à différents niveaux : synthèse des protéines, système immunitaire, croissance, reproduction, intégrité des membranes, vue, goût et odorat, développement du système nerveux, protection face aux radicaux libres, métabolisme de l'insuline et autres.

Une carence en zinc risque d'entraîner un retard de croissance, un retard de cicatrisation, des troubles du système immunitaire et des problèmes de peau.

Principales sources :
Le groupe des viandes et substituts fournit à lui seul la majorité de l'apport en zinc dans l'alimentation nord-américaine. Une alimentation végétarienne stricte augmente donc le risque d'entraîner des déficits, car les légumes en contiennent peu. Les poissons et les fruits de mer, les viandes, les abats, les noix, les graines et les céréales complètes sont des aliments qui renferment du zinc.

Apports quotidiens recommandés :
Hommes : 11 mg
Femmes : 8 mg

Autres oligoéléments			
Oligo-élément	**Rôle**	**Source**	**AQR***
Bore	Action possible dans la formation des os ainsi que dans la reproduction	Légumes feuillus, fruits, noix, légumineuses, etc.	Maximum de 20 mg
Chrome	Potentialise l'action de l'insuline	Légumineuses, noix, céréales entières, etc.	Hommes : 30-35 µg Femmes : 20-25 µg
Fluor	Favorise la santé dentaire	Eau, thé, poissons et fruits de mer, etc.	3-4 mg
Manganèse	Métabolisme des glucides, activation enzymatique et pouvoir antioxydant	Produits céréaliers à grains entiers, noix, légumineuses, thé, vin, cacao, etc.	Hommes : 2,3 mg Femmes : 1,8 mg
Molybdène	Activation enzymatique et rejet des déchets métaboliques	Légumineuses, abats, céréales à grains entiers, produits laitiers, etc.	45 µg

*AQR : apports quotidiens recommandés

Quel rôle l'eau joue-t-elle dans notre organisme ?

L'eau sert à l'hydratation des cellules, au transport des nutriments et à l'élimination des déchets. Notre organisme contient 60 % d'eau qu'il faut renouveler régulièrement puisque, chaque jour, même sans effort physique particulier, on en élimine environ 2,5 litres par la transpiration, l'urine et la respiration... sans oublier les larmes ! Notre organisme a besoin de compenser cette perte. L'alimentation solide (les fruits, les légumes, les produits laitiers, etc.) nous fournit environ 1 litre d'eau. Il faut donc en boire au moins 1,5 litre par jour pour combler les pertes (c'est-à-dire environ 1 ml par kcal ingérée).

En règle générale, l'eau du robinet est tout indiquée pour combler nos besoins en eau. Une eau contenant des sels minéraux aide à compenser une partie des pertes causées par la transpiration (lors d'un exercice physique intense ou de longue durée, par exemple).

On ne doit pas attendre d'avoir soif pour boire. Cela est particulièrement vrai pour les personnes âgées, chez qui la sensation de soif diminue souvent.

Une « pharmacopée » nutritionnelle

De plus en plus d'études scientifiques nous prouvent que nous avons tout intérêt à privilégier les aliments dont les composés agissent directement sur la prévention des maladies et le maintien d'une santé optimale. Une nouvelle façon de s'alimenter qui suit tout à fait le précepte d'Hippocrate : « Que ton aliment soit ton seul médicament. »

Qu'est-ce qu'un « aliment fonctionnel » ?

Le concept d'aliment fonctionnel est né au Japon dans les années 1980. Le terme a supplanté celui d'« alicament » (contraction d'« aliment » et de « médicament »). Selon Santé Canada, un aliment fonctionnel est un aliment ordinaire (ou semblable en apparence à un aliment ordinaire) faisant partie de notre alimentation normale et renfermant des éléments bénéfiques pour la santé en plus de leurs propres propriétés nutritionnelles de base, et qui réduit les risques de maladies chroniques. Par exemple, le brocoli, l'oignon, le thé, le curcuma, la tomate, les canneberges ou les bleuets sont des aliments fonctionnels dans la mesure où ils renferment des composés phytochimiques (lycopène, curcumine, cachétine, etc.) bénéfiques pour la santé (*voir page 67*). On peut qualifier ces aliments d'« aliments fonctionnels par nature » ou encore d'« aliments fonctionnels intrinsèques ».

Il existe aussi des « aliments fonctionnels par ajout » (ou « aliments fonctionnels extrinsèques »). Ce sont des aliments auxquels on a ajouté un ingrédient qui procure un avantage santé supplémentaire. Par exemple, du jus auquel on a ajouté du calcium ou du yogourt auquel on a ajouté des oméga-3 (sous forme d'huile de lin ou d'huiles marines).

Qu'est-ce qu'un nutraceutique ?

On confond souvent aliments fonctionnels et nutraceutiques, alors qu'ils ne recouvrent pas la même réalité. Le nutraceutique (contraction de « nutrition » et de « pharmaceutique ») est un produit fabriqué à partir d'aliments, mais vendu sous forme de pilules, de poudre ou d'autres formes médicinales. Les nutraceutiques ont un effet physiologique bénéfique ou assurent une protection contre les maladies chroniques.

Il est préférable de puiser nos éléments nutritifs d'abord dans les aliments, et ce, pour deux raisons majeures. D'abord, la biodisponibilité de leurs éléments nutritifs est souvent plus grande grâce aux interactions avec les autres éléments contenus dans les aliments. De plus, en isolant les éléments nutritifs, on ignore quelle quantité est nécessaire pour profiter pleinement de leurs bienfaits. En d'autres termes, il est préférable de manger des produits frais plutôt que d'avaler des pilules !

Qu'est-ce qu'un antioxydant ?

Un antioxydant est une substance qui contrecarre les effets négatifs que l'oxygène peut avoir sur l'organisme. De la même façon que l'oxygène fait brunir une pomme ou rouiller du fer, il nous fait vieillir et il augmente le risque de provoquer des maladies dégénératives.

Comment l'oxygène peut-il avoir de tels effets sur la santé ? C'est que certains mécanismes du corps nécessaires à la survie (respiration cellulaire, lutte contre les infections, etc.) génèrent des substances instables appelées « radicaux libres ». Ces radicaux libres sont instables, car ce sont des atomes porteurs d'un électron « célibataire », alors que la plupart des électrons de l'organisme sont électriquement stables puisqu'ils existent par paires.

Comme des radicaux libres sont générés par des mécanismes vitaux, il est normal d'en avoir une certaine quantité dans l'organisme ; nos systèmes de défense se chargent de gérer ces molécules instables, entre autres par la production d'antioxydants, qui en neutralisent les effets négatifs. Dans un organisme en bonne santé, il doit donc y avoir un équilibre permanent entre les radicaux libres et les antioxydants.

Toutefois, plusieurs facteurs (tels que le stress, l'exercice physique intense, la pollution, la cigarette, les UV, etc.) peuvent augmenter notre exposition aux radicaux libres. C'est lorsque ceux-ci deviennent trop nombreux par rapport aux antioxydants qu'ils peuvent devenir responsables de divers effets néfastes pour la santé.

Ils peuvent tout attaquer : l'ADN, les enzymes, les protéines, les membranes cellulaires... Ces attaques répétées se traduisent par le durcissement et l'épaississement des artères, la destruction des membranes cellulaires, la détérioration du collagène et la rigidité des tissus, l'augmentation du risque de cancer et de maladies cardiovasculaires ou, encore, d'autres maladies comme la cataracte, la dégénérescence maculaire ou les problèmes articulaires. C'est ce qu'on appelle le stress oxydatif.

Heureusement, nous pouvons aider notre organisme à lutter facilement et agréablement contre les radicaux libres ! Il suffit de manger des antioxydants au goût de bleuet ou de tomate bien mûre...

Quelles sont les principales sources d'antioxydants ?

Les vitamines A, E et C et des composés phytochimiques tels que les polyphénols ont une action antioxydante (*voir page 67*).

D'autres antioxydants sont fabriqués par l'organisme lui-même – par exemple, certaines enzymes (dont la

Pouvoir antioxydant de quelques fruits et légumes (unités Orac*/100 g)	
Raisins secs	2830
Bleuets	2400
Mûres	2036
Canneberges	1750
Fraises	1540
Framboises	1220
Prunes	949
Oranges	750
Pamplemousse rose	495
Raisins rouges	739
Cerises	670
Kiwi	610
Ail	1939
Chou frisé	1770
Épinards	1260
Courges	1170
Brocoli	890
Betterave	840
Poivron rouge	710
Oignon	450
Maïs	400
Aubergine	390
Chou	295
Haricots verts	200
Tomate	195
Patate douce	295
Chou-fleur	385
Carottes	200
Laitue verte	265
Courgettes	176

* Les unités ORAC (Oxygen Radical Absorbance Capacity Scale) sont la mesure de la capacité des antioxydants à absorber les radicaux libres. Les experts recommandent de consommer entre 3000 et 5000 unités ORAC par jour.

glutathion peroxydase). Plusieurs de ces enzymes antioxydantes ont besoin de métaux comme le sélénium, le cuivre et le zinc, soit pour les rendre actives, soit parce qu'ils entrent dans leur composition. C'est ensemble que ces enzymes et ces métaux sont considérés comme des antioxydants.

Toutefois, ces distinctions sont complexes, car les molécules qui agissent comme des antioxydants peuvent se comporter comme des agents pro-oxydants selon leur concentration et le milieu dans lequel elles se trouvent. Il en va ainsi des vitamines A, C et E. On doit en tenir compte quand on prend des doses élevées de suppléments antioxydants pendant de longues périodes.

Que sont les composés phytochimiques ?

Les composés phytochimiques (aussi appelés phytonutriments) sont naturellement présents dans les végétaux (fruits, légumes, céréales, etc.), en grande partie dans leur peau et dans les graines. Ils font partie de leur système de défense naturelle tout en leur procurant leur saveur, leur arôme et d'autres particularités organoleptiques. À la différence des autres nutriments (glucides, protéines, lipides, vitamines et minéraux), ils ne sont pas indispensables à notre survie, mais ils sont essentiels pour une vie en bonne santé et longue. Car, de la même manière qu'ils protègent les végétaux, ils semblent aider l'organisme à lutter contre les maladies.

Classification des principaux composés phytochimiques

POLYPHÉNOLS

Flavonoïdes

anthocyanes : cyanidine, delphinidine, malvidine, pélargonidine, péonidine

tanins : punicalagin

flavonols : myricétine, quercétine

flavones : apigénine, lutéoline

isoflavones : génistéine, daidzéine

flavanones : hespéridine, naringénine, rutine, ériocitrine, naringine, didymine, poncirine

flavanols ou flavan-3-ols : catéchine, épicatéchine, épicatéchine-3-gallate, épigallocatéchine, épigallocatéchine-3-gallate

Non-flavonoïdes

lignanes

proanthocyanidine

stilbènes : resvératrol

acide ellagique

derivés aryl-tyrosine

coumarines : esculétol, scopolétol

acides phénoliques : acide caféique, acide cinnamique, acide férulique, acide isoférulique et acide p-coumarique,

TERPÈNES

Caroténoïdes

alphacarotène

bêtacarotène

bêtacryptoxanthine

lycopène

lutéine

zéaxanthine

curcumine

Non-caroténoïdes
limonoïdes
chromanoles
tocotriénols
tocophérols
saponines

COMPOSÉS SOUFRÉS

indoles : indole-3-carbinol
isothiocyanates
thiosulfonates
glucosinolates : sulforaphane

PHYTOSTÉROLS

phytostanols
bêta-sitostérol

Source : Dr Federico Leighton, chef du laboratoire de nutrition moléculaire, Faculté des sciences biologiques, Universidad Católica de Chile.

Les composés phytochimiques peuvent être classifiés comme des micronutriments, au même titre que les vitamines et les minéraux. Tandis que ces derniers participent de façon spécifique au métabolisme des organismes vivants (leurs niveaux peuvent se mesurer avec précision dans les tissus et le sang), les composés phytochimiques, eux, ont une action beaucoup plus globale. Ces composés provenant des végétaux ont des propriétés actives de protection de la santé en agissant en synergie avec les autres éléments de la plante qui les contient.

Encore peu connus, ces composés font l'objet d'actives recherches un peu partout dans le monde, car ils ont de puissants pouvoirs antioxydants. Ils contribuent à renforcer le système immunitaire, ils aident à combattre les cellules cancéreuses, ils réparent les dommages à l'ADN causés par l'exposition à certaines substances toxiques comme la fumée de cigarette et ils travaillent de concert avec les enzymes à désintoxiquer les cellules.

Les composés phytochimiques sont divisés en plusieurs familles, principalement les polyphénols, les terpènes, les composés soufrés et les phytostérols (lipides).

Que sont les polyphénols ?

Les polyphénols sont les pigments jaunes, orangés et bleus des fruits et des végétaux. Ils donnent leur arôme à certains aliments, comme la vanille et le clou de girofle.

Le principal groupe de polyphénols est constitué par les flavonoïdes, qui sont parmi les antioxydants les plus puissants et les plus abondants de notre alimentation. Il y a plus de 5000 types de flavonoïdes connus à ce jour.

Les flavonoïdes ont des propriétés anti-inflammatoires, antivirales et antiallergiques, et ils jouent un rôle protecteur contre les maladies cardiovasculaires et le cancer, entre autres. De plus, ils semblent avoir un effet favorable sur la pression artérielle ainsi que sur le transport de l'oxygène et des nutriments essentiels aux cellules.

Les isoflavones et les lignanes sont reconnus comme des phytoestrogènes.

Les tanins, que l'on trouve en particulier dans le vin rouge, ont des effets bénéfiques pour la santé, bien qu'ils puissent diminuer la capacité d'absorption de certains nutriments tels que le fer. Ils ont des propriétés astringentes et anti-inflammatoires. De plus, ils aident à combattre les maladies cardiovasculaires, ils seraient efficaces dans le traitement de la diarrhée et ce seraient aussi des antihémorragiques locaux à cause de la vasoconstriction qu'ils produisent, ce qui les rend utiles pour traiter les hémorroïdes.

Les aliments riches en tanins sont facilement identifiables, car ils produisent une sensation d'aspérité, de sécheresse et d'amertume sur la langue et les gencives.

Les acides phénoliques sont responsables de couleurs telles que le bleu, le bleu-rouge et le violet des petits fruits, du raisin, des aubergines et du vin rouge. Le jus de canneberge en est bien pourvu, bien que l'ajout de trop de sucre le rende beaucoup moins intéressant. Environ 1500 acides phénoliques ont été répertoriés.

On a fait beaucoup de recherches sur leurs effets dans la prévention des maladies. On a constaté des effets anti-inflammatoires et anticoagulants, un renforcement du système immunitaire et une réduction de l'adhérence des bactéries aux dents et aux parois de la vessie (ce qui aide à prévenir les infections dentaires et urinaires). Les acides phénoliques seraient aussi des régulateurs hormonaux.

Que sont les terpènes ?

Présents dans la plupart des plantes, les terpènes sont certainement les plus communs des composés phytochimiques.

Les principaux terpènes sont les caroténoïdes. Dans la nature, on a déjà identifié plus de 600 composés appartenant à ce groupe, dont 50 sont présents dans notre alimentation. La couleur des caroténoïdes varie du jaune pâle au rouge foncé, en passant par l'orangé. Notre organisme est incapable de synthétiser les caroténoïdes et nous devons donc les obtenir par notre alimentation.

Les régimes alimentaires riches en caroténoïdes sont reconnus pour prévenir les maladies cardiovasculaires, le cancer et les maladies dégénératives de la vue, comme la dégénérescence maculaire et la cataracte.

Un caroténoïde, le bétacarotène, est transformé dans l'organisme en une forme active de vitamine A (la provitamine A), un nutriment important pour la vision, les fonctions immunologiques et la santé de la peau et des os.

Un autre pigment de cette famille qui est de plus en plus connu est le lycopène, dont la principale source alimentaire en Amérique du Nord est la tomate. Il préviendrait certains types de cancers (tels que le cancer de la prostate) ainsi que les maladies cardiovasculaires.

Que sont les composés soufrés ?

Les composés soufrés ont été parmi les premiers composés phytochimiques à avoir été proposés par l'American Cancer Society pour combattre le cancer. Ils sont une source de sulfures, qui sont essentiels à l'action de certaines enzymes qui participent à la désintoxication des produits cancérigènes.

Les composés soufrés abondent dans la famille des crucifères (chou, brocoli, chou-fleur, etc.) et dans l'ail (alliine). De récentes études montrent que consommer une à deux portions de crucifères par jour réduit les risques de cancer de la prostate chez les hommes ainsi que de divers autres cancers chez les femmes post-ménopausées.

Que sont les phytostérols ?

Les phytostérols sont l'équivalent végétal du cholestérol animal. Ils contribuent à réduire le taux de mauvais cholestérol sanguin tout en diminuant la croissance des cellules cancérigènes. Ils pourraient réduire le risque de cancer du sein, de la prostate et du côlon. De nombreuses études montrent qu'une alimentation riche en noix et en grains entiers, sources de phytostérols, est associée à une diminution des maladies cardiovasculaires.

Que faut-il consommer pour profiter des bienfaits des composés phytochimiques ?

L'énorme quantité de composés phytochimiques et les recherches en cours sur leurs bienfaits rendent impossible toute réponse exhaustive et définitive. Nous n'en sommes qu'au début d'un champ de recherche très prometteur, heureusement pour notre santé !

Voici les composés phytochimiques les plus cités pour leurs effets bénéfiques et les principaux aliments qui les contiennent.

Isoflavones
fèves de soja
légumineuses
grenade
huile d'olive

Anthocyanes
bleuets
mûres
canneberges
framboises
fraises
cerises
oignon rouge
pomme de terre rouge
radis
raisin noir
aubergine

Flavones
betterave
paprika
choux de Bruxelles
chou
chou-fleur
céleri
piment fort
laitue
épinards

Flavanones
orange
citron
pamplemousse
kumquat

Flavanols
chocolat noir
thé
vin rouge
grains entiers
raisin
petits fruits
persil

épinards
oignon
pomme
brocoli
canneberges

Quercétine
oignon rouge
pomme
brocoli
haricots verts
bleuets

Catéchines
thé vert
vin rouge
poudre de cacao
chocolat noir
raisin
prunes

Tanins
raisin (peau et pépins)
thé
café
vin rouge
épinards
grenade
kaki
coing
pomme
chocolat
lentilles

Curcumine
curcuma
curry

Lignanes
graines de lin
graines de sésame

Alphacarotène
carotte
courge
tangerine

Bêtacarotène
courge
patate douce
carotte
melon
abricot
brocoli
chou
choux de Bruxelles

Bêtacryptoxanthine
papaye
mangue
pêche
orange
tangerine
poivron
maïs
melon d'eau

Lycopène
tomate et produits cuits de la tomate
melon d'eau
pamplemousse rose
poivron rouge

Lutéine
chou vert
chou-fleur
épinards
brocoli
choux de Bruxelles
laitue
artichaut

Zéaxanthine
épinards
chou
maïs
tangerine
nectarine

Saponines
légumineuses (en particulier lentilles, pois chiches et fèves de soja)

Acide ellagique
framboises
fraises
bleuets
canneberges
noix
grenade
raisin de Corinthe
pomme

Resvératrol
peau et pépins du raisin
jus de raisin
vin rouge
arachides

Composés soufrés
soja
raifort
chou
choux de Bruxelles
bok choy
brocoli
chou-fleur
cresson
wasabi
navet
rutabaga

Thiosulfonates
ail
oignon
poireau
asperge
échalote

Phytostérols

beurre d'arachide
noix de cajou
amandes
petits pois
haricots rouges
avocat
huiles non raffinées première pression à froid (lin, noix, noisette, olive, sésame)

Manger santé pour prévenir les maladies et optimiser sa santé

De nombreuses études ont montré que l'adoption du régime méditerranéen entraîne généralement plusieurs effets positifs pour la santé, dont une réduction des risques de maladies cardiovasculaires et de quelques autres maladies chroniques telles que certains types de cancers.

Qu'est-ce que le régime méditerranéen ?

C'est plus une façon saine de s'alimenter qu'un régime alimentaire à proprement parler. Il s'agit de manger surtout des légumineuses, du poisson, des céréales complètes, des fruits et des légumes frais, des noix, du yogourt et de l'huile d'olive. Parallèlement, on diminue considérablement les apports en viande rouge et en sucreries. Cela fait donc du régime méditerranéen une alimentation complète, riche en fibres alimentaires, en bons acides gras monoinsaturés et polyinsaturés (dont les oméga-3), en vitamines, en minéraux et en substances antioxydantes.

Si les produits laitiers ne sont pas exclus du régime méditerranéen, le lait n'en fait pas partie. Vous pouvez toutefois l'ajouter, à condition de le choisir faible en gras (écrémé ou à 1 %). Vous pouvez remplacer le lait par une boisson de soja enrichie en calcium et en vitamine D.

Une telle alimentation semble avoir protégé les Crétois, un peuple de la Méditerranée connu pour sa longévité exceptionnelle.

Mangez quotidiennement
Produits céréaliers complets
Fruits et légumes frais
Ail, oignon, herbes aromatiques et épices
Huile d'olive
Légumineuses, noix et graines
Yogourt et fromages maigres
Vin rouge (modérément)

Mangez plusieurs fois par semaine
Poissons et fruits de mer

Mangez quelques fois par semaine
Poulet
Œufs

Que faut-il manger pour prévenir le diabète ?

Il existe deux principaux types de diabète. Le diabète de type 1 (10 % des cas), qui ne se prévient pas, survient la plupart du temps avant 20 ans et est caractérisé par un manque d'insuline. Inversement, le diabète de type 2 (90 % des cas) survient plus tard dans la vie (souvent chez les personnes de plus de 40 ans, bien qu'on le rencontre aujourd'hui chez des gens de plus en plus jeunes). Il résulte soit de la baisse de la production d'insuline, soit d'une insuline moins fonctionnelle (résistance à l'insuline), soit d'un mélange des deux. C'est ce type de diabète qu'il est possible de prévenir par l'alimentation, car il est intimement lié à l'obésité.

En effet, le diabète de type 2 est dans plus de 80 % des cas en lien avec un surplus de poids, à tel point que certains scientifiques parlent de « diabésité ». D'ailleurs, une équipe de l'Institut Pasteur de Lille, en France, a identifié un gène, l'ENPP1, qui est commun à l'obésité et au diabète de type de 2.

Si la surcharge pondérale prédispose au diabète de type 2, c'est parce que l'obésité correspond à un état de résistance à l'insuline (*voir page 83 Le syndrome métabolique*), particulièrement chez les personnes ayant une accumulation de graisse autour de la taille.

La principale mesure à prendre pour prévenir le diabète de type 2 est donc de maintenir un poids santé ou de perdre du poids si on est déjà au-dessus de son poids santé. Pour ce faire, on doit surveiller son alimentation et faire régulièrement de l'exercice. Une perte de poids, même modérée, entraîne une réduction prononcée de la résistance à l'insuline et permet d'améliorer la capacité de l'organisme à gérer le glucose, de même que le métabolisme dans son ensemble.

Privilégiez les aliments contenant des glucides présents naturellement. Les sucres ajoutés doivent être consommés avec modération. Attention aux aliments préparés industriellement, ils en contiennent souvent beaucoup ! Méfiez-vous même des aliments qui semblent bons pour la santé, comme certaines céréales à déjeuner ou certains yogourts aux fruits. Lisez bien les étiquettes ! On ne devrait pas consommer plus de 10 % de nos calories quotidiennes sous forme de sucre ajouté. Les glucides totaux doivent représenter environ 50 % à 60 % des calories de la journée. Étant souvent riches en fibres, les aliments à faible indice glycémique (*voir page* 22) semblent aussi aider à mieux contrôler la glycémie et à diminuer la résistance à l'insuline.

Réduisez l'apport en lipides et privilégiez les bons gras afin de maintenir un taux de cholestérol adéquat. Les aliments riches en acides gras monoinsaturés, qu'on trouve, entre autres, dans les huiles d'olive et de canola, sont à privilégier.

Augmentez votre consommation de fibres : des aliments riches en fibres solubles – le son d'avoine, par exemple – ont la propriété de réduire le cholestérol sanguin et de ralentir l'absorption du glucose.

Certaines études ont associé antioxydants et prévention du diabète. Comme les antioxydants, largement présents dans les fruits et les légumes, ont de nombreux autres avantages pour la santé, on ne perd rien à en garnir nos assiettes.

Enfin, limitez votre consommation de sel pour faire baisser votre tension artérielle.

Que faut-il manger pour prévenir les maladies cardiovasculaires ?

Une maladie cardiovasculaire touche le cœur, les vaisseaux sanguins qui l'approvisionnent ou toutes les artères et les veines de votre corps et même de votre cerveau. Les facteurs de risque sont l'hypertension artérielle, l'hypercholestérolémie, le diabète, l'embonpoint, la consommation excessive d'alcool, la sédentarité, le tabagisme, le stress, etc. Bonne nouvelle : la grande majorité de ces facteurs de risque peuvent être réduits ou même éliminés en mangeant mieux !

Fuyez les gras trans. Comment ? Tout simplement en ne consommant plus de fast-food ou d'aliments commerciaux comme la margarine issue d'huile partiellement hydrogénée, les craquelins, les biscuits, les tablettes de chocolat (ce qui ne veut pas dire qu'il ne faut pas croquer de temps en temps un bon chocolat noir à 70 % ou 80 % !), les bonbons et autres friandises, les chips, les beignes, les tartes ou les gâteaux. De nombreux fabricants de produits alimentaires ont d'ailleurs commencé à éliminer les gras trans de leurs produits.

Réduisez le plus possible les graisses saturées. Par exemple, choisissez des coupes de viandes maigres ainsi que des produits laitiers allégés.

Augmentez l'apport en oméga-3 d'origine marine parce qu'ils aident à réduire les triglycérides sanguins et préviennent la formation de caillots.

Réduisez votre consommation de sel. Une restriction du sel, combinée à un apport adéquat en magnésium, potassium et calcium, peut réduire considérablement la tension artérielle, un facteur de risque associé aux maladies cardiovasculaires.

Quelques recommandations pour un régime quotidien préventif des maladies cardiovasculaires	
Gras trans	Réduire au maximum
Gras saturés	Moins de 7 % de l'énergie totale
Gras polyinsaturés	Jusqu'à 10 % de l'énergie totale
Gras monoinsaturés	Jusqu'à 20 % de l'énergie totale
Glucides	50-60 % de l'énergie totale
Protéines	Approximativement 15 % de l'énergie totale
Cholestérol	Moins de 200 mg
Lipides totaux	30 % ou moins de l'énergie totale
Fibres	De 20 à 30g

Que faut-il manger pour contrer le syndrome métabolique?

Le syndrome métabolique est un ensemble de symptômes multifactoriels grandement influencé par l'obésité abdominale (plus de 102 cm de tour de taille pour les hommes et plus de 88 cm pour les femmes). En présence d'obésité abdominale, les cellules qui forment le tissu gras (les adipocytes) augmentent de volume, libèrent plus d'acides gras libres et sécrètent certaines substances en quantités inhabituelles ; bref, leur fonctionnement perturbé influe sur le métabolisme à plusieurs niveaux, entre autres par une diminution de la sensibilité des cellules du corps à l'insuline (élément clé du diabète de type 2). Ainsi s'installe un cercle vicieux : le corps utilise les acides gras libres comme substrat énergétique, tandis que le glucose, qui s'accumule dans le sang, se transforme en nouvelles cellules adipeuses. Un taux élevé d'acides gras libres dans le sang et la résistance à l'insuline entraînent d'autres sérieuses conséquences pour la santé : hypertension, maladies cardiovasculaires, problèmes de foie, etc.

Pour renverser la vapeur, il faut perdre du poids, faire de l'exercice physique et modifier ses habitudes alimentaires. Le régime méditerranéen (*voir page 78*) s'est avéré un excellent moyen de lutter contre ce syndrome. Une récente étude italienne a montré que 56 % des sujets qui avaient adopté cette façon de manger pendant deux ans ne présentaient plus les symptômes du syndrome métabolique, alors qu'avec une alimentation plus traditionnelle, les résultats étaient de l'ordre de 13 %. La consommation modérée de vin (deux verres par jour pour un homme, un pour une femme), jumelée au régime méditerranéen, pourrait aussi diminuer l'incidence du syndrome métabolique par l'apport en antioxydants et l'amélioration du profil lipidique.

Que faut-il manger pour prévenir le cancer ?

Manger régulièrement des aliments d'origine végétale et limiter les aliments riches en matières grasses animales, le sucre et le sel sont des façons simples de prévenir bien des cancers : on estime qu'environ 35 % à 40 % des cas de cancer sont liés à l'alimentation.

Il ne s'agit pas de devenir végétarien, mais de manger beaucoup de fruits et de légumes quotidiennement et de remplacer à l'occasion la viande par des légumineuses, du tofu ou d'autres protéines d'origine marine ou végétale. Par ailleurs, on maintient un poids santé et on bouge ! Attention aussi à l'excès d'alcool, qui est impliqué, entre autres, dans le cancer du foie et dans le cancer colorectal.

Gavez-vous de fruits et de légumes. Cuits et crus, de toutes les couleurs et de toutes les formes... Décuplez vos plaisirs ! Voici quelques-uns des aliments qui ont montré des propriétés anticancer grâce à leurs antioxydants et leurs composés phytochimiques, mais il y en a beaucoup d'autres : soja, curcuma, ail, oignon, chou frisé, brocoli, tomate (cuite, elle protège contre le cancer de la prostate), orange, haricots verts, noix, pamplemousse rose, melon d'eau, goyave, canneberges, fraises, bleuets, raisin, carottes, patate douce, pruneaux, petits pois, mangue, abricot, courge, cresson, poivron (surtout les rouges et les orangés), épinards, persil, kaki, laitue romaine, mandarine, courgette, avocat, olives, piment (la capsaïcine, un alcaloïde présent dans les piments forts, protégerait contre le cancer de la prostate).

Que faut-il manger pour prévenir l'arthrite ?

Rhumatismes, arthrose, fybromyalgie, polyarthrite rhumatoïde, goutte, lupus... Il existe une douzaine de formes de maladies rhumatismales.

D'abord, on vise à maintenir un poids santé ou, s'il y a lieu, à perdre un surplus de poids, qui augmente la pression sur les articulations. On peut réduire l'inflammation des articulations en réduisant sa consommation d'acides gras saturés d'origine animale et en augmentant l'apport en acide gras oméga-3 provenant des poissons gras et de l'huile de poisson.

Voici quelques exemples de poissons et de fruits de mer qui sont riches en oméga-3 d'origine marine :

150 g de saumon d'élevage	± 3500 mg AEP+DHA
150 g de truite grise	± 2400 mg AEP+DHA
150 g de sardines à l'huile	± 1000 mg AEP+DHA
150 g de crevettes	± 700 mg AEP+DHA
150 g de morue	± 300 mg AEP+DHA

Quant aux capsules de suppléments d'oméga-3, on en trouve à toutes sortes de doses, la plupart du temps entre 300 mg et 600 mg. Encore une fois, les aliments prédominent par rapport aux suppléments puisque, en plus des précieux oméga-3, le poisson fournit des bonnes protéines, des vitamines B12 et D, du calcium (si on mange aussi les arêtes) et d'autres éléments nutritifs qui sont absents des capsules de suppléments.

Évitez de surconsommer des aliments riches en oméga-6 qui, eux, tendent à favoriser l'état d'inflammation : huiles de pépins de raisin, de tournesol, de carthame, de maïs et de germe de blé.

Optez pour l'huile d'olive extra vierge première pression à froid, qui contient des antioxydants et possède des propriétés anti-inflammatoires. Intégrez aussi des noix à votre menu parce qu'elles contiennent des bons gras. Attention, toutefois ! ces deux aliments procurent un apport calorique assez important.

Enfin, réduisez votre consommation de viande rouge (qui contient de l'acide arachidonique), de charcuteries et de viandes transformées (qui contiennent des nitrites, que l'on croit en partie responsables de l'état d'inflammation).

Que faut-il manger pour prévenir l'ostéoporose ?

L'ostéoporose est caractérisée par une perte de masse osseuse qui rend les os de plus en plus poreux, fragiles et cassants. Au Canada, une femme sur quatre et un homme sur huit de plus de 50 ans en souffrent, ce qui représente environ 1,4 million de personnes !

Au début, l'ostéoporose ne présente aucun symptôme. C'est souvent lors d'une chute ou d'une blessure qu'on se rend compte de la fragilité des os. Les fractures de la hanche, qui surviennent fréquemment chez les personnes qui font de l'ostéoporose, sont fortement handicapantes. Au Canada, 70 % des fractures de la hanche (dont environ 20 % se soldent par le décès) sont imputables à l'ostéoporose. Heureusement, ici encore, l'alimentation peut prévenir ou retarder considérablement l'apparition de l'ostéoporose.

L'os est un tissu vivant en constant renouvellement. De la naissance à la vingtaine, notre masse osseuse se construit. Une alimentation riche en calcium contribue alors à la formation d'os forts et solides, et ce, jusqu'à l'âge d'environ 30 ans. À l'arrivée de la trentaine, la masse osseuse atteint son apogée et commence à diminuer progressivement. Il y a certaines périodes de la vie où elle peut connaître un déclin plus important, par exemple durant les premières années de la ménopause, où l'on enregistre des pertes de masse osseuse de l'ordre de 0,5 % à 1 % chaque année ! Une alimentation équilibrée doit donc fournir suffisamment de calcium pour que l'organisme n'ait pas à puiser dans ses réserves osseuses, et ce, à tous les âges de la vie.

Des apports équilibrés en minéraux (calcium, potassium, magnésium, phosphore), de la vitamine D, une glycémie contrôlée, de l'exercice : tous ces facteurs contribuent à préserver le capital osseux.

Le calcium remplit un rôle essentiel dans la constitution du squelette et des dents ainsi que dans la coagulation sanguine, l'activité musculaire, les fonctions hormonales. Comme notre corps n'en produit pas, nous devons lui en fournir quotidiennement par notre alimentation. En manque de calcium l'organisme « pigera » dans la masse osseuse pour compenser.

Les apports calciques en provenance de l'alimentation sont indispensables, car l'organisme élimine chaque jour une partie du calcium qu'il contient. Le lait et les produits laitiers sont d'excellentes sources de calcium. La vitamine D et le lactose (le sucre du lait) qu'ils contiennent en favorisent l'assimilation. Certains légumes (comme le brocoli et le chou frisé), les noix, les graines et les haricots secs contiennent aussi du calcium, mais sous une forme qui est cependant plus difficilement absorbable par l'organisme. Les sardines et le saumon en conserve sont de bonnes sources de calcium à condition de manger les arêtes.

Certains aliments favorisent une perte de calcium dans l'urine et sont donc à consommer avec modération. Parmi ceux-ci, on note, entre autres, la caféine et l'alcool. Un excès de protéines tend à avoir un effet similaire.

L'exercice physique est aussi primordial dans la prévention de l'ostéoporose, principalement les sports nécessitant le soutien de la masse corporelle (dits sports avec mise en charge : tennis, ski de fond, marche, par exemple).

Nos besoins quotidiens en calcium

Âge	Hommes	Femmes
0-6 mois	210 mg	210 mg
6-12 mois	270 mg	270 mg
1-3 ans	500 mg	500 mg
4-8 ans	800 mg	800 mg
9-18 ans	1300 mg	1300 mg
19-50 ans	1000 mg	1000 mg
51 et plus	1200 mg	1200 mg

Femmes enceintes ou qui allaitent

14-18 ans	1300 mg
19-50 ans	1000 mg

Parmi les meilleures sources de calcium :

- Le tofu coagulé avec du sulfate de calcium apporte près de 700 mg par portion de 100 g.
- Les fromages à pâte ferme (tels que le parmesan, le gruyère, l'emmenthal, le gouda, le cheddar, etc.) en procurent entre 350 mg et 600 mg par portion de 50 g.
- Le lait et les boissons de soja ou de riz enrichies (de façon à équivaloir au lait) fournissent environ 325 mg pour 250 ml.
- Le saumon et les sardines en conserve (avec les arêtes) apportent entre 225 mg et 325 mg par portion de 100 g.
- Le yogourt nature fournit plus ou moins 300 mg par portion de 175 ml.

Que faut-il manger pour prévenir l'hypertension ?

L'hypertension, aussi nommée « le tueur silencieux », ne comporte pas nécessairement de symptômes flagrants, mais elle double le risque de souffrir d'une maladie cardiovasculaire ou d'un problème rénal.

On est hypertendu lorsque la tension artérielle est supérieure à 140/90 mm Hg (mesure de la pression systolique et de la pression diastolique exprimée en millimètres de mercure). La tension optimale se situe plutôt autour de 115/75 mm Hg.

Le régime DASH (Dietary Approaches to Stop Hypertension) est aujourd'hui l'approche privilégiée en matière d'hypertension artérielle. Ce régime vient d'une étude américaine réalisée en 1997 qui a observé les effets positifs que pouvait apporter l'alimentation sur la prévention et le traitement de l'hypertension.

Le régime DASH est assez simple à suivre. Il s'agit simplement de modifier certaines habitudes de vie, notamment en bougeant davantage, en maintenant un poids santé, en gérant mieux le stress, en modérant sa consommation d'alcool et en adoptant une alimentation saine, riche en calcium, magnésium et potassium et réduite en sodium.

En mettant l'accent sur les fruits, les légumes et les produits laitiers faibles en matières grasses, en augmentant la consommation de produits céréaliers à grains entiers, de volaille, de poisson et de noix, et en diminuant la consommation de matières grasses, de viandes rouges, de sucreries et de boissons sucrées, l'équilibre alimentaire de l'hypertendu est modifié : on observe une remarquable diminution de la tension artérielle.

En fait, il s'agit d'une alimentation qui se rapproche de l'alimentation méditerranéenne (*voir page 78*), qui protégera non seulement de l'hypertension, mais aussi des autres maladies dégénératives.

Régime DASH	
Nombre de portions recommandées	**Exemples de portion**
Produits céréaliers 6 à 8 par jour	1 tranche de pain 125 ml de riz, de pâtes ou de céréales
Légumes 4 à 5 par jour	250 ml de légumes feuillus 200 ml de jus de tomate
Fruits 4 à 5 par jour	1 pêche moyenne 125 ml de bleuets frais ou congelés 200 ml de jus d'orange 60 ml de raisins secs
Produits laitiers faibles en gras 2 à 3 par jour	250 ml de lait écrémé ou à 1 % 250 ml de yogourt écrémé 50 g de fromage partielle-ment écrémé
Viande, volaille et poisson 1 à 2 max. par jour	90 g de poulet ou de poisson
Légumineuses, noix et graines 4 à 5 par semaine	125 ml de lentilles cuites 85 ml d'amandes rôties 30 ml de graines de tournesol

Que faut-il manger pour prévenir le stress ?

Le magnésium est essentiel à notre équilibre parce qu'il participe à la transmission neuromusculaire de l'influx nerveux. Une déficience en magnésium peut provoquer une fatigue persistante et des insomnies, des crampes ou même des palpitations cardiaques, dans le cas d'une carence importante. Le chocolat noir, en plus de contenir du magnésium, renferme aussi des composés qui influent sur le moral.

Une alimentation antistress privilégie donc non seulement les aliments riches en magnésium (*voir page 49*), mais aussi en vitamines du groupe B, en bêtacarotène et en vitamine C et E (*voir Vitamines pages 32 à 46*).

Certaines personnes ont tendance à manger plus pour oublier leur stress. Inversement, le stress peut couper l'appétit à d'autres. Pourtant, ce sont deux attitudes qui ont exactement l'effet contraire à celui recherché ! Car ce dont les personnes stressées ont besoin, c'est de manger des repas équilibrés qui comblent leurs besoins.

Privilégiez les aliments moins gras pour faciliter la digestion, consommez quotidiennement des acides gras essentiels (*voir oméga-3 et oméga-6 pages 24 à 26*), des céréales à grains entiers, des produits laitiers, des fruits (frais et secs), des légumes et des légumineuses. Limitez la consommation d'excitants tels que le café ou le thé ainsi que la consommation d'alcool, bien qu'un petit verre de vin rouge à l'occasion ne peut faire que du bien !

Et surtout, prenez le temps de vous asseoir pour manger plutôt que de dîner à la course. En plus d'être une pause profitable pour les nerfs, cela favorise une meilleure digestion. L'activité physique est aussi très importante pour gérer efficacement son stress.

Y a-t-il des aliments antidépression?

La sérotonine, un neurotransmetteur produit par notre organisme, favorise le sommeil, la détente et le bien-être, d'où son surnom d'« hormone de la bonne humeur ». Si le cerveau manque de sérotonine, notre humeur est affectée. Les aliments ne contiennent pas de sérotonine, mais certains contiennent du tryptophane, un acide aminé nécessaire à la production de la sérotonine.

Le tryptophane est un des acides aminés essentiels entrant dans la composition des protéines : nous ne pouvons donc pas le synthétiser. Il faut alors le puiser dans l'alimentation. Les aliments qui contiennent du tryptophane faciliteront la sécrétion de sérotonine. Les produits suivants sont des exemples d'aliments procurant du tryptophane : volaille, viande, poisson, lait et produits laitiers, noix et graines, tofu, légumineuses, légumes verts feuillus, bananes.

En plus du tryptophane, les aliments riches en glucides (les produits céréaliers, par exemple) favorisent la synthèse de la sérotonine.

De nouvelles études permettent de penser qu'il y aurait une relation entre un apport insuffisant en acide folique (vitamine B9) et les états dépressifs. Raison de plus pour consommer des légumes verts, des choux, des légumineuses et du pain complet !

Les oméga-3 semblent eux aussi avoir une influence sur l'humeur. L'élément actif des oméga-3 sur la dépression serait l'acide eicosapentanoïque (AEP), présent dans les poissons gras. L'AEP améliore la fluidité des membranes des neurones et facilite la transmission de la sérotonine, de la dopamine et des hormones du stress. La carence en oméga-3 et en AEP dans l'alimentation pourrait être à l'origine des forts taux de dépression observés dans divers pays nordiques où l'on consomme peu de poisson. L'AEP est dit essentiel parce que le corps n'en fabrique pas bien qu'il soit nécessaire à son développement et à son fonctionnement.

L'AEP peut toutefois être produit à partir de l'acide alphalinolénique (AAL) que l'on trouve dans les graines de lin, le soja, certaines huiles (canola, lin, noix, soja) ou les noix. Mais la transformation de l'AAL en AEP est très faible, d'où l'importance de consommer du poisson.

Que faut-il manger pour prévenir la constipation ?

Si on a tendance à être constipé, c'est probablement qu'on ne mange pas assez de fibres. Pour s'assurer un bon transit intestinal, il est recommandé de consommer quotidiennement de 21 g à 25 g de fibres pour les femmes et de 30 g à 38 g pour les hommes.

Des fibres, il y en a, entre autres, dans les fruits, les légumes, les céréales complètes et les légumineuses. Une autre bonne raison de suivre le régime méditerranéen ! L'avoine et le son d'avoine, le son de blé, le riz brun, l'orge, les lentilles, les haricots blancs, les pommes et les poires consommées avec leur peau, les pruneaux, les fraises, les framboises, les mûres, la rhubarbe, les asperges, les carottes, le brocoli, les betteraves ou les épinards sont parmi les meilleurs choix.

Là encore, la pratique d'activité physique régulière peut aider à réduire les problèmes de constipation.

Y a-t-il des aliments à éviter pour prévenir la migraine ?

La migraine, qui peut être causée par une multitude de facteurs, est un gros mal de tête persistant qui survient, entre autres, lorsqu'il y a un gonflement (dilatation) des vaisseaux sanguins du cerveau.

Les aliments à effet vasoactif, c'est-à-dire qui influent sur le diamètre des vaisseaux sanguins, sont donc souvent montrés du doigt, même si chaque personne y réagit de façon différente. En voici quelques exemples : les fromages forts ou vieillis, le vin, la bière, la caféine, les fèves, les noix, les marinades, les agrumes et autres fruits acides (raisin, ananas, etc.), les pruneaux, les oignons, le chocolat, le jambon, les charcuteries, les lentilles, les figues, la choucroute. Le glutamate monosodique et l'aspartame déclenchent aussi des migraines chez certaines personnes. Il s'agit de tester sa tolérance personnelle face aux aliments problématiques et de s'abstenir de les consommer en cas de problème.

Jeûner ou simplement sauter un repas semblent être des facteurs qui peuvent déclencher des migraines.

Le top 10 des aliments d'Isabelle Huot

1 La tomate

La tomate, particulièrement quand elle est cuite, a été associée à une diminution du risque de certains cancers, notamment celui de la prostate. C'est son contenu en lycopène, un type de caroténoïdes, qui expliquerait cette relation. Peu calorique, la tomate est une bonne source de vitamine C.

2 Les crucifères

Les principaux sont le chou vert, les choux de Bruxelles, le brocoli, les épinards, le navet, les radis et le chou-fleur. Ces légumes ont été associés à une diminution du risque de cancer liée à certaines de leurs composantes spécifiques (indoles dans les choux et sulforaphanes dans le brocoli). Riche en folates et en vitamine C, le brocoli est l'un des meilleurs légumes pour la santé.

3 L'ail

L'ail est utilisé pour ses vertus médicinales depuis l'Antiquité. Antiseptique, antifongique, il a également le potentiel de réduire le cholestérol sanguin et d'équilibrer la glycémie. En concentrations importantes, il réduit aussi la tension artérielle et agit comme antioxydant.

4 Le son d'avoine

Riche en fibres solubles, le son d'avoine a la propriété de réduire le cholestérol sanguin et de ralentir l'absorption du glucose. Manger au petit-déjeuner du gruau nature auquel on ajoute du lait et des fruits frais ou secs est une façon saine de commencer la journée.

5 Les légumineuses

Les légumineuses contiennent non seulement de précieuses fibres solubles, mais également des folates, du potassium et du magnésium. Pensez à les intégrer dans les soupes et les salades. Faibles en gras et riches en protéines et en fibres, les légumineuses rassasient rapidement.

6 Les bleuets

Le bleuet arrive en tête de liste des fruits les plus riches en antioxydants. Comme le vin, il apporte des polyphénols reconnus pour leur effet bénéfique sur la santé cardiaque. Comme les autres petits fruits (fraises, framboises, canneberges, mûres), il permettrait de réduire les risques de cancer. La période des bleuets est courte, mais on peut toujours se tourner vers les bleuets surgelés, qui conservent une bonne partie de leurs propriétés antioxydantes.

7 Le soja

Le soja, qui appartient à la famille des légumineuses, se transforme en boisson, en tofu, en produits fermentés (miso, tempeh), en yogourt ou même en crème glacée. Si des études ont montré qu'il est très efficace pour réduire le cholestérol sanguin, il a surtout bonne presse pour ses propriétés œstrogéniques. Contenant des isoflavones, un type de phytoestrogènes qui a les mêmes effets que la principale hormone féminine, le soja diminuerait certains problèmes associés à la ménopause (bouffées de chaleur, affaiblissement de la densité osseuse). Les graines de soja grillées, riches en fibres et en protéines, constituent une collation de choix.

8 Les noix

Des études montrent que, grâce à la teneur en vitamine E, en fibres, en sélénium et en bons gras des noix, les grands consommateurs de ces fruits ont de 25 % à 50 % moins de maladies cardiaques. La portion idéale est de 30 g (1 oz) cinq fois par semaine. Puisque chaque variété possède un contenu nutritionnel différent, il est bon de varier les sortes : noix du Brésil, amandes, noix de Grenoble ou arachides.

9 Les graines de lin

Elles contiennent à la fois des bons gras, dont l'acide linolénique, un oméga-3, et des lignanes, un type de phytoestrogène qui a des propriétés similaires à celles du soja. L'industrie agroalimentaire les utilise de plus en plus dans divers produits céréaliers (pains, bagels, céréales) ; on les ajoute également au lait sous forme d'huile. Les œufs oméga-3 (dont les poules qui les ont pondus ont été nourries avec une alimentation enrichie en graines de lin) contribuent aussi à l'apport en oméga-3. La portion quotidienne idéale est d'une cuillerée à soupe de graines de lin moulues qu'on ajoute aux céréales ou au yogourt, par exemple.

10 Les poissons gras

À l'instar des graines de lin, les poissons, surtout les plus gras comme le saumon, fournissent des acides gras de type oméga-3. D'origine marine, ces oméga-3 sont très efficaces pour réduire l'agrégation des plaquettes sanguines, diminuer le taux de triglycérides sanguins et réduire l'inflammation. Ils joueraient également un rôle préventif dans la dépression et dans certains troubles du comportement. Les poissons les plus riches en oméga-3 sont le thon, le saumon, le maquereau, la truite, la sardine et le flétan. On recommande d'en consommer au moins 450 g par semaine.

L'alimentation en questions

Doit-on prendre des suppléments vitaminiques ?

Une alimentation équilibrée fournit à notre organisme toutes les vitamines dont il a besoin. Une mauvaise alimentation à laquelle on ajoute des suppléments ne deviendra jamais une alimentation santé. Ce ne sera qu'une mauvaise alimentation avec des suppléments... D'ailleurs, de fortes doses de vitamines ou de minéraux peuvent s'avérer toxiques, surtout en ce qui concerne les vitamines liposolubles, qui s'accumulent plus facilement dans l'organisme.

Toutefois, il arrive qu'à certains moments de la vie nous ayons besoin de suppléments. Par exemple, lors de la grossesse, les besoins en acide folique (vitamine B9) sont accrus chez les femmes. Une carence en acide folique peut entraîner de graves malformations (spina-bifida) affectant le cerveau ou le système nerveux du fœtus. Si une alimentation équilibrée apporte suffisamment de vitamines B9 (il suffit de manger des épinards, du germe de blé, des légumineuses, de noix et des graines), les femmes enceintes ont besoin d'une supplémentation puisque l'acide folique contenu dans les suppléments est mieux absorbé que les folates des aliments. Comme il n'y a pas de risque de surdose en B9 et que les conséquences d'une carence peuvent être terribles et irréversibles, les médecins en prescrivent systématiquement à leurs patientes enceintes. D'ailleurs, il est conseillé aux femmes qui désirent avoir un enfant de commencer à prendre de la vitamine B9 quelques mois avant la conception.

Il existe d'autres situations particulières où les suppléments sont avantageux (anémie, convalescence, etc.).

Lorsqu'il n'y a pas de conditions particulières, on préfère les aliments aux suppléments. En plus de l'énergie qu'ils procurent, il y a des interactions entre les divers composants des aliments ou entre les différents aliments entre eux qui peuvent être bénéfiques pour la santé. Ainsi, prendre une source de fer (pain de blé entier et beurre d'arachide, par exemple) avec une source de vitamine C (jus d'orange) favorise l'absorption du fer.

Les végétariens doivent-ils prendre des suppléments vitaminiques ?

Il arrive fréquemment que les végétariens, surtout s'ils excluent tous les produits d'origine animale (incluant les produits laitiers), aient des apports alimentaires en minéraux et vitamines inférieurs à ce qui est conseillé. En éliminant les produits du règne animal de notre régime alimentaire, il est un peu plus difficile de se procurer certains nutriments, dont certains acides aminés, le fer, le calcium, le zinc, la vitamine D et, surtout, la vitamine B12.

Les noix, les légumineuses, les grains entiers et le tofu sont des exemples de bonnes sources de protéines d'origine végétale. Les protéines d'origine végétale ne sont toutefois pas complètes en ce qui concerne les acides aminés (contrairement aux protéines animales, qui sont dites «complètes»). Pour son équilibre alimentaire, le végétarien doit donc combiner ses sources de protéines de manière à ce que les acides aminés des différents aliments se complètent. Voici les différentes combinaisons :

- céréales + légumineuses
- légumineuses + noix/graines
- céréales + produits laitiers

Par exemple, les céréales contiennent de la méthionine, mais sont pauvres en lysine. Inversement, les légumineuses contiennent de la lysine, mais très peu de méthionine. En consommant ces deux groupes d'aliments au cours de la même journée, on s'assure un apport suffisant de tous les acides aminés.

Le jumelage des protéines peut se faire au cours d'une journée complète, pas nécessairement au sein d'un même repas.

Les végétariens qui ne consomment ni œufs, ni poisson, ni lait doivent opter pour des aliments enrichis en vitamine D, tels que des boissons végétales enrichies.

S'ils ne consomment pas suffisamment de ces aliments, il deviendra probablement nécessaire d'opter pour un supplément de 5 mg par jour durant l'hiver (l'été, le soleil s'en charge).

Les principales sources végétales de fer sont les légumineuses, le tofu, les épinards, les asperges, les noix, les graines, les produits céréaliers enrichis et les fruits secs. Le fer d'origine végétale est moins bien absorbé que le fer d'origine animale, mais la consommation d'aliments riches en vitamine C (agrumes, poivron rouge, tomates, etc.) favorisera son absorption.

Bonnes sources végétales de calcium : le brocoli, le bok choï (chou chinois), le chou vert frisé, les haricots verts, les amandes, les graines de sésame et de tournesol, la boisson de soja enrichie, le tofu coagulé avec un sel ou un sulfate de calcium, le jus d'orange enrichi, etc.

Pour compenser la vitamine B12 qu'on ne trouve habituellement que dans les aliments d'origine animale, rien de tel que la boisson de soja enrichie et la levure.

En raison de leur richesse en vitamines et en antioxydants, les régimes végétariens planifiés de façon appropriée sont sains et adéquats sur le plan nutritionnel et bénéfiques pour la prévention et le traitement des maladies dégénératives, notamment les maladies cardiovasculaires et le cancer. En fait, si les végétariens sont souvent en meilleure santé, ce n'est pas parce qu'ils excluent la viande, mais bien parce qu'ils mangent plus de végétaux, lesquels apportent, en plus des vitamines et des minéraux, une panoplie de composés phytochimiques bénéfiques (*voir page 67*).

Quels sont les vitamines et autres suppléments qu'il ne faut pas consommer en trop grande quantité ?

Les vitamines qui s'accumulent le plus facilement dans l'organisme sont les vitamines liposolubles (A, D, E, K). Toutefois, il est très rare qu'on puisse ingérer des quantités trop élevées de vitamines par une alimentation équilibrée. Les excès vitaminiques surviennent dans la plupart des cas à la suite d'un mauvais choix ou d'un abus de suppléments. Raison de plus pour préférer les aliments aux suppléments !

Quels aliments les femmes doivent-elles privilégier à partir de la préménopause ?

Les aliments riches en calcium et en vitamine D sont d'une grande importance pour prévenir l'apparition de l'ostéoporose. Les besoins en calcium après 50 ans sont de 1200 mg par jour et de 1500 mg par jour en cas d'ostéoporose (*voir Les meilleures sources de calcium, page 90*).

Les aliments qui contiennent des phytoestrogènes (isoflavones et lignanes) sont aussi très intéressants.

Les isoflavones, en particulier le soja, pourraient aider à corriger une baisse d'œstrogènes au moment de la préménopause ou de la ménopause et pourraient (bien que cela demeure controversé) réduire des symptômes comme les bouffées de chaleur, la nervosité, l'irritabilité ou la rétention d'eau en plus de prévenir la perte osseuse. Jumelés avec une alimentation faible en gras, les isoflavones semblent même avoir un effet positif sur le cholestérol sanguin. En plus du soja (sous forme de fèves, de boissons, de tofu ou de farine), on en trouve dans les légumineuses et certains fruits et légumes (agrumes, pommes, raisin, oignons, etc.).

Les lignanes, elles, sont des composés phytochimiques présents dans les aliments riches en fibres tels que les graines, les légumes, les fruits et les légumineuses qui se transforment en phytoestrogènes une fois digérés. Les graines de lin ont, en plus des phytoestrogènes, l'avantage d'apporter des oméga-3 d'origine végétale.

Les oméga-3 de source naturelle sont-ils plus bénéfiques que ceux que l'on trouve dans les aliments enrichis ?

La plupart des produits enrichis en oméga-3 que nous trouvons sur le marché renferment de l'huile de lin. Ils procurent donc les bienfaits attribués aux W-3 d'origine végétale, mais non les quelques avantages des W-3 d'origine animale (les propriétés antidéprime, par exemple). On commence tout de même à voir apparaître certains aliments enrichis avec des oméga-3 d'origine marine (le yogourt, par exemple). En cas de doute, les personnes allergiques au poisson ou aux fruits de mer devraient s'abstenir.

Les produits animaux plus riches en ALA sont obtenus par une alimentation 100 % végétale enrichie en graines de lin extrudées (les œufs, par exemple).

En plus des yogourts et des œufs, les aliments enrichis en oméga-3 sont nombreux : matières grasses, lait ou boissons végétales, fromages, jus d'orange, pain, biscuits, etc.

Il faut faire attention à l'apport en W-3 du produit enrichi : il est parfois beaucoup plus faible que celui d'un aliment naturel qui en contient naturellement.

Par ailleurs, comme les acides gras insaturés sont sensibles à l'oxydation, il faut s'assurer de la stabilité chimique de ces aliments, qui peuvent se dégrader rapidement, en les conservant au froid.

Enfin, ce n'est pas parce qu'on choisit un aliment portant l'indication « enrichi en oméga-3 » qu'il est nécessairement bon pour la santé. Pour faire des choix éclairés, il faut prendre en considération l'ensemble des composants de l'aliment et, plus particulièrement, sa composition en acides gras saturés et en cholestérol alimentaire.

Néanmoins, une fois ces quelques précautions prises, les aliments enrichis en W-3 peuvent nous aider à atteindre notre apports quotidiens recommandés.

Vaut-il mieux manger des œufs bios ou des œufs oméga-3 ?

Les bienfaits des oméga-3 sont prouvés, tandis que ceux des produits bios le sont moins. Mais on ne choisit pas le bio uniquement pour ses avantages nutritifs.

Si votre alimentation contient déjà beaucoup d'oméga-3 (poissons gras plusieurs fois par semaine, graines de lin moulues tous les jours, etc.), l'apport en oméga-3 des œufs est moins nécessaire. Par contre, cet apport peut s'avérer très intéressant pour les personnes qui consomment peu d'aliments riches en oméga-3.

Les produits étiquetés « bio » le sont-ils toujours ? Quelles sont les certifications auxquelles on peut se fier ?

Depuis 1997, le Québec s'est doté d'une loi qui concerne les appellations attribuées aux produits agricoles et alimentaires. C'est cette loi qui a institué la création du Conseil des appellations agroalimentaires du Québec (CAAQ), dont le rôle est d'accréditer les organismes de certification de diverses appellations, dont l'appellation « biologique ».

Seules les certifications accréditées par le CAAQ (tels que Québec Vrai, Garantie Bio ou Ecocert) ont le droit de certifier des produits comme étant biologiques.

Ces certifications doivent répondre à un ensemble de normes provinciales et internationales. Même les produits bios provenant de l'extérieur du Québec sont contrôlés.

Que faut-il manger quand on fait du sport?

On recommande de consommer des aliments à faible indice glycémique (IG) lors du repas précédant un effort soutenu afin que le glucose soit libéré dans le sang de façon plus régulière. Exemples d'aliments à faible IG : le pain intégral, le riz brun, les carottes crues, les légumineuses. En revanche, on optera pour des aliments à IG élevé si on prend une collation une heure ou moins avant une activité afin de bénéficier de l'énergie fournie par la hausse rapide de la glycémie. Les aliments à IG élevé sont également à privilégier après l'effort pour favoriser la reconstitution des réserves de glycogène.

Comment devons-nous répartir notre consommation de 10 fruits et légumes par jour?

On doit se rapprocher le plus possible des 10 portions de fruits et légumes par jour. Comme les fruits sont généralement plus sucrés et donc souvent plus riches en calories, il vaut mieux consommer plus de légumes. Manger trois ou quatre portions de fruits par jour et six ou sept portions de légumes représente une proportion intéressante.

Une portion de fruits ou de légumes consiste en :

- 1/2, 1 ou 2 fruits, selon la grosseur (p. ex., 1/2 banane, 1 pêche, 2 clémentines)
- 125 ml de fruits ou de légumes en morceaux
- 250 ml de légumes feuillus.

Certains pensent à tort qu'il est difficile de combler ses besoins en légumes et en fruits. En fait, ce n'est pas du tout compliqué. Voici un exemple de menu fruits-légumes pour une journée : 1/2 pamplemousse, 2 prunes, 1/2 tasse de brocoli, une tasse de salade mélangée, 2 clémentines, 1/2 tasse de carottes crues, 1 tasse de V8 et 2 cuillerées à soupe de raisins secs.

Bref, plus notre assiette est remplie de couleurs, mieux on se porte ! Bleu, orangé, jaune, rouge, vert, chaque coloris apporte des composés phytochimiques particuliers.

Pourquoi est-il bon de manger des fruits et des légumes crus ?

La cuisson des végétaux peut entraîner la perte de vitamines et de minéraux ; c'est pourquoi il est conseillé de consommer cru une partie de ses portions quotidiennes de fruits et légumes.

Il y a toutefois des façons de cuire les fruits et légumes qui permettent de limiter les pertes vitaminiques. En effet, en les faisant cuire dans l'eau, on risque de perdre de précieuses vitamines hydrosolubles, telles que celles du groupe B et la vitamine C. À moins de réutiliser l'eau de cuisson dans ses recettes, il est préférable d'avoir recours à des méthodes de cuisson nécessitant peu d'eau (à la vapeur, au micro-ondes, au four, par exemple).

Outre les vitamines et les minéraux, la cuisson peut également affecter certaines enzymes des végétaux. Toutefois, la question de savoir si ces enzymes végétales ont un effet important sur notre santé est controversée.

Mais la cuisson a aussi des avantages : elle peut faciliter la digestion et libérer certaines substances bénéfiques pour la santé. Un bon exemple est le lycopène de la tomate, qui est beaucoup plus biodisponible (assimilable par l'organisme) lorsque la tomate est cuite (au four, en sauce, sous forme de jus de tomate ou de ketchup [maison !]).

Bref, un bon compromis consiste à manger un peu de cru et un peu de cuit !

Peut-on remplacer les fruits par leur jus ?

Comme les jus de fruits contiennent beaucoup moins de fibres que les vrais fruits, ils rassasient moins longtemps. On aura donc tendance à vouloir manger de nouveau plus tôt, ce qui se traduira parfois par des collations plus ou moins santé. De plus, selon la méthode de transformation utilisée, les jus sont souvent moins riches en micronutriments que le produit d'origine. Cela ne doit pas vous empêcher de boire votre jus préféré avec modération... À condition toutefois que ce soit du vrai jus de fruits 100 % pur. Les boissons à base de concentré, les nectars et autres contiennent beaucoup de sucre ajouté et sont moins intéressants en ce qui concerne les vitamines.

Faites aussi attention à la grosseur des portions. En effet, un grand verre de jus peut facilement contenir 500 ml, ce qui correspond à quatre portions puisque habituellement une portion est établie à 125 ml.

Les légumes surgelés contiennent-ils autant de vitamines que les légumes frais ?

Non seulement ils en contiennent autant, mais ils en ont même parfois plus. En effet, la surgélation préserve la qualité nutritionnelle des légumes, car ceux-ci sont rapidement épluchés, lavés et surgelés après la cueillette. Plusieurs vitamines étant fragiles (à la lumière, à la chaleur, etc.), les légumes frais que l'on trouve dans les supermarchés risquent d'en avoir perdu une partie entre le moment de la récolte et celui de la vente.

Évitez toutefois de les faire bouillir dans beaucoup d'eau pour conserver un maximum de vitamines. Faites-les plutôt sauter à la poêle ou cuisez-les à la vapeur.

Le calcium des légumes vaut-il celui des produits laitiers ?

Les produits laitiers sont non seulement une excellente source de calcium, mais leur calcium est aussi plus biodisponible que celui des légumes. Les légumes peuvent contenir certaines substances qui nuisent à l'absorption du calcium par l'organisme. Par exemple, les épinards contiennent non seulement du calcium, mais aussi de l'oxalate, qui en réduit l'absorption. Ainsi, pour absorber autant de calcium que ce qu'en contient un verre de lait (1 tasse), il faudrait manger :

- plus de 1 tasse de bok choy (chou chinois)
- plus de 2 tasses de brocolis
- plus de 7 tasses d'épinards

Éplucher les légumes modifie-t-il leur valeur nutritionnelle ?

La peau des fruits et légumes frais est en effet particulièrement concentrée en fibres, en minéraux, en vitamines et en composés phytochimiques, tout comme la partie périphérique de la chair. L'épluchage élimine donc une grande partie des micronutriments, surtout quand les épluchures sont épaisses. Si vous mangez la pelure, prenez soin de bien la laver afin d'enlever autant que possible les résidus de pesticides, les saletés et les micro-organismes. Pour ce faire, frottez les fruits et les légumes sous l'eau avec, au besoin, une petite brosse prévue à cet effet.

Les fruits et légumes bios sont-ils un meilleur choix ?

Ne serait-ce que parce qu'ils sont issus de semences sans OGM et exempts de pesticides, d'herbicides chimiques et d'engrais de synthèse, les fruits et légumes bios sont un bon choix, à la fois pour l'environnement et pour la santé.

Pour l'environnement, parce que l'agriculture bio préconise des façons cultiver qui sont davantage en accord avec la nature, en plus de ne pas utiliser de produits potentiellement néfastes pour le milieu (causant la contamination de l'eau et du sol, l'atteinte d'espèces non visées, etc.).

Pour la santé, parce que les résidus de pesticides peuvent causer certains troubles à court terme (tels que maux de tête, fatigue, etc.) et qu'on connaît mal leurs effets à long terme, comme on ne connaît pas non plus les effets à long terme des OGM. Il y a énormément de controverse à ce sujet. Alors que certaines études stipulent que les taux de résidus de pesticides présents dans les aliments que nous consommons dépassent rarement les seuils tolérables, d'autres avancent qu'on y est exposé des dizaines de fois par jour. Les études ne s'entendent pas non plus quant à savoir si les fruits et légumes biologiques sont plus nutritifs que ceux qui sont issus de l'agriculture traditionnelle.

Mais que les aliments biologiques contiennent plus de vitamines ou non, leur consommation doit être encouragée en vertu du principe de précaution et pour la protection de l'environnement.

Est-il vrai qu'en ajoutant du poivre noir fraîchement moulu au curcuma, on optimise son pouvoir thérapeutique ?

Il semble en effet que le fait d'ajouter du poivre au curcuma en améliore l'absorption. Le curcuma est une épice à la couleur jaune orangé très utilisée dans la cuisine indienne et qui contient des composés phytochimiques (dont la curcumine), lesquels semblent être efficaces dans la prévention de plusieurs maladies (maladies cardiovasculaires, cancers, maladies inflammatoires et autres).

Les fines herbes séchées ont-elles une valeur nutritive ?

Les fines herbes fraîches sont une source non négligeable de minéraux et d'antioxydants. Une partie des micronutriments qu'elles contiennent peuvent être préservés dans les herbes séchées – selon le procédé utilisé et à condition que les herbes ne soient pas trop vieilles. Cependant, il n'est pas toujours possible de savoir pendant combien de temps notre petite enveloppe de fines herbes séchées est restée sur les rayonnages de l'épicerie avant qu'on l'achète. Bref, mieux vaut se fier aux aliments auxquels on les ajoute pour nous procurer des nutriments !

Cela dit, une bonne raison d'ajouter des fines herbes séchées à nos plats (en plus du goût !) est que cela nous incitera peut-être à utiliser un peu moins la salière, ce qui est une bonne chose, entre autres pour la tension artérielle.

Doit-on éliminer la viande rouge de son alimentation ?

Non, à condition de choisir des coupes maigres ou de prendre l'habitude de dégraisser la viande avant de la cuire, ou encore de laisser le gras visible dans l'assiette.

Les viandes rouges (bœuf, agneau) sont d'excellentes sources de protéines complètes, de vitamines (B6 et B12 particulièrement) et de minéraux (zinc, cuivre, magnésium et fer). D'ailleurs, elles contiennent au moins deux fois plus de fer que les viandes blanches (lapin, poulet, dinde), et il s'agit d'un fer (le fer hémique) qui est facile à absorber par l'organisme.

Il faut toutefois rappeler que les viandes rouges sont riches en acides gras saturés, qui font augmenter le taux de mauvais cholestérol et sont donc un facteur de risque de maladies cardiovasculaires, alors que la graisse des poissons contient, en général, davantage d'acides gras essentiels polyinsaturés, qui ont au contraire un effet protecteur.

La margarine est-elle un meilleur choix santé que le beurre ?

Cela dépend des margarines. La margarine est un choix moins intéressant que le beurre si elle est faite avec de l'huile hydrogénée. L'hydrogénation génère des acides gras trans, un type de gras qui fait encore plus augmenter le taux de mauvais cholestérol que les gras saturés. Même si l'étiquette indique que la margarine est faite à partir d'huile de soja 100 % pure, quand cette huile est hydrogénée, c'est un mauvais choix santé.

Par contre, la margarine faite d'huile non hydrogénée est un bon choix puisqu'elle ne contient pas de gras trans et peu de gras saturés (toute huile en contient un minimum), ce qui est avantageux par rapport au beurre qui, lui, contient plus de gras saturés et du cholestérol.

En tout cas, que l'on choisisse de la margarine non hydrogénée ou du beurre, on obtient la même quantité de calories. C'est seulement la qualité du gras qui varie.

Pour choisir un produit sans gras trans

Évitez les produits dont l'étiquette comporte les indications suivantes : gras hydrogénés, acides gras hydrogénés, huile hydrogénée, huile partiellement hydrogénée, gras trans ou shortening.

La mention « léger » sur une étiquette signifie-t-elle que les aliments contiennent moins de gras ?

Pas forcément, mais Santé Canada demande à l'industrie agroalimentaire de préciser sur l'étiquette en quoi le produit est léger. Par exemple, quand on utilise le mot « léger » pour de l'huile d'olive, il est précisé sur l'étiquette que l'on fait référence à son goût. Lorsque le mot « léger » est employé seul, c'est que le produit contient au moins 25 % moins de calories ou de gras que le produit de référence.

Attention toutefois : un produit affichant la mention « 25 % moins de gras » n'est pas toujours avantageux parce que, dans certains cas, lorsqu'on enlève du gras, on compense avec du sucre. Il faut donc toujours consulter le tableau des valeurs nutritives.

Un produit identifié « sans gras » est-il faible en calories ?

Pas nécessairement. Un aliment peut être faible en gras, mais avoir tout de même une forte teneur en sucre, ce qui en fait un aliment calorique.

Par conséquent, lisez toujours les étiquettes et comparez la quantité de calories contenues dans les produits « sans gras » et les produits « réguliers » : vous pourriez être surpris !

Si l'allégation « sans gras » ne devrait pas automatiquement être un critère d'achat, l'allégation « sans gras trans » devrait l'être. Cette allégation implique que le produit apporte moins de 0,2 g de gras trans par portion. Pour pouvoir afficher cette allégation, le produit doit également être faible en gras saturés.

Est-il vrai que toutes les huiles ne sont pas bonnes pour la cuisson ?

C'est vrai. Bien sûr, les huiles qui renferment trop de gras saturés sont à éviter : huile de palme, huile de coco, par exemple. Mais même parmi les bonnes huiles, toutes ne sont pas recommandées pour la cuisson. Celles qui contiennent des gras polyinsaturés ou qui se dégradent rapidement à la chaleur, comme l'huile de noix et l'huile de soja, devraient être réservées à l'assaisonnement. Cuisinez avec l'huile d'olive, l'huile de canola, l'huile d'arachide, l'huile de sésame, des

Quelques allégations relatives à la teneur en nutriments	
	Signification de l'allégation
Sans	Une quantité tellement faible que les experts en santé la considèrent comme négligeable sur le plan nutritionnel.
Sans sodium	Moins de 5 mg de sodium*.
Sans cholestérol	Moins de 2 mg de cholestérol et faible teneur en graisses saturées (comporte une restriction au niveau des graisses trans)*. Pas nécessairement une faible teneur en lipides.
Faible teneur	Toujours associée à une faible quantité.
Faible teneur en lipides	3 g ou moins de lipides*.
Faible teneur en graisses saturées	2 g ou moins de graisses saturées et trans combinées*.
Teneur réduite	Une quantité du nutriment au moins 25 % inférieure à celle d'un produit similaire.
Valeur réduite en calories	Au moins 25 % moins d'énergie que l'aliment auquel il est comparé.
Source	Toujours associée à une quantité importante.
Source de fibres	2 g ou plus de fibres*.
Bonne source de calcium	165 g ou plus de calcium*.
Léger	Lorsque le terme « léger » fait référence à une caractéristique nutritionnelle d'un produit, cette allégation n'est permise que dans le cas des aliments à « teneur réduite en gras » ou à « teneur réduite en énergie » (calories). On doit préciser sur l'étiquette ce qui rend l'aliment « léger ». Ainsi, lorsque le terme « léger » est relié à une caractéristique organoleptique, telle que la texture, il faut indiquer « texture légère »**.

* Par quantité de référence et par portion indiquée (la quantité spécifique d'aliment indiquée dans le tableau des valeurs nutritives).

** Une exception est à souligner ici : le « rhum léger » ne requiert aucune explication sur l'étiquette. Toutefois, l'allégation « légèrement salé » est réglementée : on ne peut l'afficher que sur les aliments dont la teneur en sodium ajouté est inférieure d'au moins 50 % à celle d'un produit similaire (sauf dans le cas du poisson).

Source : Santé Canada

huiles qui contiennent une bonne proportion de gras monoinsaturés, lesquels supportent bien la chaleur. Attention ! Ne consommez pas de l'huile qui a brûlé et qui commence à fumer, car elle contient alors des composés qui pourraient être cancérigènes.

Pourquoi doit-on réduire sa consommation de sodium ?

Parce qu'une trop grande consommation augmente le risque de développer de l'hypertension artérielle et des problèmes au niveau des reins. Nous consommons beaucoup plus de sodium (*voir page 50*) que nous n'en avons réellement besoin, en particulier par le biais des aliments préparés industriellement.

Une cuillerée à thé (5 ml) de sel de table contient 2325 mg de sodium, soit à peu près l'apport maximal recommandé par jour. Rappelez-vous que le sel doit rehausser la saveur des aliments et non pas la remplacer ! En ajoutant des oignons, de l'ail, des fines herbes et des épices à vos aliments, vous leur donnez plus de goût et cela vous permet de mettre moins de sel.

Autres aliments qui procurent environ la moitié ou plus de l'apport maximal recommandé en sodium : diverses charcuteries (une portion d'environ 100 g de bœuf salé, de jambon cuit, de bacon, etc.), un cornichon à l'aneth, 15 ml de sauce soja ou de sauce de poisson.

Est-ce que les glucides font grossir ?

Aucun aliment ne fait grossir à lui seul, pas plus les glucides que les autres. Même si le pain, les pâtes, le riz et les pommes de terre sont souvent montrés du doigt, ces aliments, au même titre que tous les autres, ne vous feront grossir que si vous les consommez en trop grande quantité pour vos besoins.

Quand l'alimentation dépasse les besoins énergétiques (que ce soit par les glucides, les lipides ou les protéines), le surplus calorique se transforme alors en graisse, qui est stockée dans le tissu adipeux.

Est-il vrai que le sirop d'érable est le meilleur sucre ?

Par rapport au sucre granulé, qui ne contient que du sucrose et n'apporte aucun élément nutritif, le sirop d'érable renferme plusieurs minéraux essentiels (manganèse, calcium, potassium, fer, zinc, magnésium) ainsi que de petites quantités de certains composés antioxydants comme les catéchines, l'acide p-coumarique et des dérivés de flavanols. Malgré tout, le sirop d'érable reste un sucre, qui fournit même un peu plus de calories que le sucre granulé à quantité égale. Il reste à consommer avec modération.

Qu'est-ce qu'un grain entier ?

Un grain entier (ou complet) est un grain qui n'a été dépouillé d'aucune de ses trois parties : le son (l'enveloppe externe, riche en fibres), l'endosperme (la partie interne, riche en amidon et en protéines) et le germe (riche en bons gras, en vitamines et en minéraux).

Recherchez les mentions « Faits de grains entiers » ou « Pain intégral » : cela indique que le grain entier a été broyé, donc que vous y trouverez toutes les fibres du son et toutes les propriétés nutritives du germe.

Inversement, les grains céréaliers raffinés ont été traités de façon à retirer le son et le germe. Ces grains sont donc beaucoup moins nutritifs que les grains entiers. Et ce, même s'ils sont enrichis.

Les céréales à déjeuner industrielles qui affichent « Faites de grains entiers » sont-elles un bon choix santé ?

Bien qu'elles soient transformées par l'industrie, les céréales faites de grains entiers constituent certainement un meilleur choix santé que beaucoup d'autres céréales que l'on trouve sur le marché.

On peut se fier à la mention « Grains entiers », mais on doit aussi surveiller la quantité de sucre ajouté (idéalement moins de 5 g par portion de 30 g) et la quantité de fibres (un minimum de 3 g à 4 g par portion de 30 g).

Exemple d'étiquette trompeuse

Ces céréales contiennent sept grains entiers, pas de gras saturés et pas de gras trans, pas de cholestérol, pas de sodium... Pourtant, avec 9 g de sucre et seulement 2 g de fibres, elles ne constituent pas un aussi bon choix santé qu'elles en ont l'air !

Lipides :	0,5 g (1 %)
Gras saturés et gras trans :	0 %
Glucides :	26 g (9 %)
Fibres :	2 g (8 %)
Sucres :	9 g
Amidon :	15 g
Potassium :	65 mg
Cholestérol :	0 %
Sodium :	0 %
Protéines :	3 g
Fer :	6 %

Les personnes qui souffrent d'intolérance au lactose peuvent-elles consommer des produits laitiers ?

Avant tout, il ne faut pas confondre l'allergie au lait et l'intolérance au lactose, même si les symptômes peuvent se ressembler. Alors que l'allergie est une réaction immunitaire, l'intolérance au lactose survient chez les personnes qui ne produisent pas suffisamment de lactase, une enzyme indispensable pour digérer le lactose, c'est-à-dire le sucre contenu dans les produits laitiers. Cela se traduit par des symptômes tels que gaz, ballonnements, crampes abdominales, diarrhées, etc.

Les personnes qui souffrent d'intolérance au lactose peuvent consommer certains produits laitiers – le yogourt, par exemple – qui renferment des bactéries actives qui aident à digérer le lactose, ainsi que certains fromages affinés ou vieillis (le cheddar, par exemple), qui contiennent moins de lactose.

Certaines personnes qui sont intolérantes au lactose vont tolérer une petite portion de lait (environ 125 ml) au moment des repas. C'est à chacun de tester sa tolérance personnelle. Pour compléter son apport en produits laitiers et en vitamine D, il existe des laits « sans lactose » dans lesquels le lactose est hydrolysé (c'est-à-dire que le glucose et le galactose sont déjà séparés).

Peut-on profiter des bienfaits du vin rouge sans en boire ?

Les gens qui sont intolérants à l'alcool ou qui ne désirent pas en consommer peuvent remplacer le vin rouge par le thé vert. Ces deux aliments (ainsi que le chocolat, les petits fruits, etc.) contiennent des polyphénols au pouvoir antioxydant de la famille des flavonoïdes (*voir page 68*). Le jus de raisin est aussi intéressant par son contenu en polyphénols. Des études ont montré qu'il avait une action positive se rapprochant de celle du vin rouge. Cependant, attention ! Le jus de raisin est sucré et fait rapidement grimper le compte calorique...

Est-il vrai qu'il vaut mieux prendre le thé ou le café entre les repas plutôt que tout de suite après avoir mangé ?

Ces boissons contiennent des tanins qui entraveraient l'absorption du fer lorsque ces deux substances se trouvent en même temps dans l'estomac au moment de la digestion des repas. C'est pourquoi on recommande aux personnes les plus à risque de carence en fer (*voir page 54*) de consommer ces boissons entre les repas plutôt que pendant ou immédiatement après. Mais chez les personnes moins à risque qui comblent leurs besoins en fer par une alimentation équilibrée, il est moins nécessaire de suivre cette recommandation à la lettre.

Est-il vrai que le lait bu dans le café perd son calcium ?

Il est vrai que la caféine contribue à la perte de calcium dans l'urine (on perd environ 8 mg de calcium par tasse de café consommée). Mais cette perte est minime si on la compare à la teneur en calcium d'un verre de lait (au-delà de 300 mg. Il n'y a donc pas lieu de vous priver de café au lait, surtout si vous avez de la difficulté à combler vos besoins quotidiens en calcium (*voir page 89*) : cela vous en fera une source de plus. Et puis, vous pouvez toujours opter pour du café décaféiné !

Doit-on arrêter de boire du lait à l'âge adulte ?

Non. Le lait reste la source principale de calcium et de vitamine D de notre alimentation. Avec la multitude de laits offerts sur le marché (faible en gras, sans lactose, enrichi en oméga-3 ou en probiotiques), on en trouve pour tous les goûts et les besoins. Certaines personnes préféreront opter pour des boissons de soja. Si ces dernières remplacent le lait, il est important de les choisir enrichies en calcium et en vitamine D. Elles deviennent alors un choix tout aussi intéressant que le lait. Le lait de chèvre, dont les protéines et les matières grasses sont particulièrement digestes, représente une autre solution de rechange intéressante.

Peut-on boire 1,5 L de jus ou de lait au lieu de boire de l'eau ?

Les jus et le lait peuvent participer à combler nos besoins en vitamines et en minéraux, mais on ne devrait pas se contenter de ces liquides pour combler ses besoins en eau (*voir page 60*) puisqu'ils fournissent aussi des calories, comparativement à l'eau et aux infusions.

Pour agrémenter votre verre d'eau, vous pouvez, par exemple, y presser un demi-citron ou y ajouter quelques feuilles de menthe.

Comment doit-on consommer les graines de lin pour en tirer le maximum de vertus ?

La graine de lin est bonne pour la santé parce qu'elle est très riche en oméga-3, en fibres et en phytoestrogènes. Rappelons qu'une alimentation riche en oméga-3 est associée à une diminution du risque de plusieurs affections (p. ex., maladies cardiovasculaires, certains cancers, maladies rhumatismales, troubles de l'humeur).

Les oméga-3 sont fragiles et sensibles à la chaleur, et ils se détériorent rapidement. Pour mieux absorber les composantes bénéfiques contenues dans les graines de lin, il est nécessaire de les moudre, car on ne peut pas digérer l'enveloppe de la graine pour avoir accès à son contenu. Le moulin à café est parfait pour cet usage. Les graines de lin moulues peuvent être conservées dans un contenant hermétique au congélateur pendant jusqu'à un mois ou au réfrigérateur pendant quelques jours. Afin qu'elles conservent leurs propriétés, évitez de les faire cuire à plus de 200 °C (400 °F). Une cuillerée à soupe par jour suffit pour combler nos besoins en oméga-3 d'origine végétale.

Est-ce que l'alimentation peut provoquer des problèmes de sommeil ?

Une alimentation déséquilibrée et, en particulier, des aliments gras ou stimulants consommés le soir, ont certainement une incidence néfaste sur la qualité de notre sommeil. Il faut manger légèrement et attendre au moins 1 h ou 1 h 30 après le repas avant d'aller dormir.

Se coucher l'estomac vide n'est pas une bonne idée, car la faim peut provoquer un réveil nocturne.

À éviter dès l'après-midi

La caféine : café, thé, chocolat ou boissons à base de cola.

À éviter en fin de journée

Trop de gras : l'organisme a besoin de temps pour assimiler les graisses. De plus, les repas lourds accélèrent le métabolisme et empêchent la température du corps de baisser avant le coucher.

L'alcool, qui est un stimulant.

Les épices, qui peuvent provoquer des brûlures d'estomac.

À consommer le soir

Les pâtes, le riz, le pain, les pommes de terre, le miel : leur action bénéfique s'expliquerait par une augmentation du taux du glucose dans le sang ou, encore, par le fait qu'ils favorisent dans l'organisme la production de sérotonine, un neurotransmetteur qui favorise non seulement l'humeur, mais aussi le sommeil.

Le lait : il contient du tryptophane, un acide aminé qui intervient dans la synthèse de la sérotonine. Associé à des glucides (du lait chaud avec du miel, par exemple), c'est encore plus efficace !

Certains aliments – les avocats et la laitue, par exemple –, sont parfois considérés comme des décontractants naturels. À vous d'en faire l'essai pour voir si ça fonctionne !

Enfin, les infusions (camomille, tilleul, verveine, fleur d'oranger, etc.) peuvent aussi favoriser le sommeil.

Que doit-on manger pour avoir une belle peau ?

Une surexposition aux radicaux libres (pollution, cigarette, etc.) risque d'entraîner bien des problèmes de santé, dont des traces visibles sur la peau. Les UV augmentent aussi le stress oxydatif au niveau de la peau ; c'est pourquoi on dit que la surexposition au soleil sans protection peut, à la longue, entraîner un vieillissement prématuré de la peau.

En fait, les radicaux libres s'en prennent au collagène, une protéine qui donne sa souplesse à notre épiderme. Lorsque le collagène est attaqué, la peau vieillit prématurément et les rides se creusent. Nous devons donc la nourrir en permanence avec suffisamment d'antioxydants.

Les éléments suivants sont essentiels à la santé de la peau :

■ Vitamine A et provitamine A

Pourquoi ?

La vitamine A (ainsi que la provitamine A) favorise la production de collagène et évite que la peau devienne sèche et rugueuse.

Quelques sources :

Le jaune d'œuf, le foie, les matières grasses du lait et du fromage, les légumes verts, les carottes et les courges, le melon, l'abricot, la mangue.

■ Vitamine C

Pourquoi ?

En plus de participer au maintien du collagène, la vitamine C est importante pour la réparation des lésions causées par les radicaux libres du fait de son pouvoir antioxydant. Elle travaille de concert avec les autres sources d'antioxydants pour empêcher ou ralentir les méfaits du stress oxydatif.

Quelques sources :

Persil, kiwi, brocoli, poivron, herbe d'orge, choux de Bruxelles, cresson, chou-fleur, épinards, fraise, chou, citron, orange, ananas, pamplemousse, asperge, salade verte, framboise, groseille, cassis, mûre, tomate, petits pois frais, haricots verts, melon, pomme de terre, oignon, abricot, cerise.

■ **Vitamine E**

Pourquoi ?

La vitamine E protège la peau des dommages des ultraviolets et de la peroxydation des lipides, elle réduit les ridules et ralentit la progression du vieillissement.

Quelques sources :

Huiles de germe de blé, de tournesol, d'amande, de carthame, de maïs et d'olive.

■ **Zinc**

Pourquoi ?

Le zinc aide à la synthèse des protéines et à la division cellulaire. Le zinc semble aussi être utile dans les cas d'acné.

Quelques sources :

Les huîtres et les fruits de mer, la viande, le foie, le germe de blé, les fromages à pâte ferme, les noix et les noisettes.

■ **Acides gras essentiels**

Pourquoi ?

Ce sont les constituants fondamentaux des membranes des cellules de la peau.

Quelques sources :

Les poissons des mers froides (thon, saumon, maquereau, etc.), le germe de blé, les noix, l'huile de canola, de noix et de lin.

Et n'oubliez pas qu'une bonne hydratation favorise une peau saine !

Que doit-on manger pour avoir de beaux cheveux et de beaux ongles?

Les aliments « vedettes » pour avoir de beaux cheveux et de beaux ongles: le jaune d'œuf, les lentilles et la levure de bière. Ces trois aliments contiennent des protéines et du soufre (indispensables à la synthèse de la kératine), du zinc (pour la synthèse du collagène et de la kératine), du fer (nécessaire à la pousse des cheveux et à l'oxygénation des racines) et des vitamines B, indispensables au renouvellement des cellules du follicule pileux. Le calcium est aussi important pour la structure des ongles.

Des cheveux ternes et cassants ou des ongles mous peuvent indiquer un régime alimentaire déséquilibré (p. ex., une carence en zinc fragilisera les cheveux).

Est-il bon de jeûner pour « nettoyer son système » ?

Médicalement parlant, nous n'avons pas besoin de jeûner plus que nous ne le faisons entre les repas et pendant le sommeil. Jeûner davantage peut être dur pour l'organisme, car face au manque de nourriture, le corps doit puiser de l'énergie dans ses réserves pour maintenir les fonctions essentielles. Il utilise du glycogène pour nourrir le cerveau et les cellules d'autres organes. Lorsque cet approvisionnement est réduit pendant un ou deux jours, les acides aminés des protéines sont transformés en glucose afin de fournir de l'énergie au cerveau. Enfin, si l'absence de glucides se poursuit, le tissu adipeux se dégrade progressivement. La dégradation incomplète de ces graisses entraîne la formation de molécules appelées « corps cétoniques », que l'organisme utilisera comme carburant à la place du glucose. L'accumulation de corps cétoniques provoquera plusieurs effets secondaires, dont la fatigue, les nausées, la perte d'appétit et la déshydratation. En quatre jours seulement, le corps se trouve en état de malnutrition, avec détérioration du fonctionnement des systèmes de l'organisme.

On attribue au jeûne toutes sortes d'applications thérapeutiques qui sont toutefois très controversées. Par exemple, certains jeûnent pour perdre du poids. Pourtant, le poids qu'ils perdent est en grande partie constitué d'eau (les réserves d'eau fondent parallèlement à la fonte des réserves de glycogène). Dès qu'ils cesseront de jeûner, ils reprendront la presque totalité du poids perdu.

Autre exemple : les partisans du jeûne considèrent que jeûner permet au corps, et plus particulièrement au foie, de se reposer. Contrairement à cette croyance, l'organisme n'est pas au repos pendant un jeûne ; en fait, il travaille fébrilement et continuellement afin de se prémunir de la famine. Le foie est tout spécialement mis à contribution, convertissant les graisses en énergie. Jeûner se traduit souvent par des maux de tête ou une dépression et peut même provoquer des problèmes cardiaques.

Y a-t-il des aliments réparateurs, pour annuler les effets d'excès alimentaires, par exemple ?

Il n'y a pas d'aliments réparateurs à proprement parler. Pour se remettre de certains excès, on préconise un régime léger, riche en fruits et légumes, beaucoup d'eau et... du sommeil !

L'intestin est une barrière qui empêche l'absorption des toxines et des bactéries. Les reins permettent d'éliminer l'eau et participent donc à la purification de l'organisme dans la mesure où cette eau est elle aussi chargée de déchets et de toxines. Quant au foie, il joue un important rôle d'épuration du sang.

Foie, intestin et reins sont donc en quelque sorte les principaux constituants de l'usine de détoxication de l'organisme.

La digestion, comment ça fonctionne ?

La digestion est un mécanisme assez complexe qui débute dans la bouche où les aliments sont mastiqués et se termine avec l'évacuation des fèces par l'anus. Entre le « départ » et l'« arrivée », c'est tout l'organisme qui profite des éléments nutritifs de notre alimentation. Notre système digestif nous permet non seulement d'assimiler ce qui lui est nécessaire, mais également d'éliminer ce qui lui est nuisible. Il stocke, filtre, nettoie, absorbe ou décompose ; bref il ne chôme pas !

Dans la bouche, sous l'action des dents et de la salive, les aliments sont broyés et descendent, grâce aux mouvements péristaltiques (contractions rythmées) de l'œsophage, dans l'estomac. Là, les glandes gastriques sécrètent de l'acide chlorhydrique et des enzymes – la pepsine et la lipase, par exemple – qui aident à décomposer les aliments en glucides, en protéines et en lipides. L'estomac poursuit le processus de dégradation pour donner une bouillie, appelée chyme, qui poursuit sa route dans le long tube (de 6 m à 8 m) de l'intestin grêle, où les nutriments sont absorbés pour passer dans la circulation sanguine. Les résidus transitent jusqu'au gros intestin (le côlon), qui a pour fonction d'absorber l'eau et les sels des substances qui ne sont plus digestibles. Ce qui reste, ce sont des déchets solides, appelés fèces, qui sont compactés dans le rectum, puis évacués par l'anus lors de la défécation.

À quoi sert le foie?

Le foie joue un rôle dans le métabolisme des glucides, des lipides et des protéines. De plus, il métabolise les toxines (que nous recevons ou produisons) en vue de leur élimination. C'est aussi un lieu de stockage de certaines substances (glycogène, vitamines). Il travaille sur plusieurs plans: il filtre le sang, décompose des produits chimiques et sécrète la bile en fonction des besoins.

Le foie est régulièrement «attaqué» de multiples façons liées à notre mode de vie: la fumée de cigarette, les pesticides et les herbicides, les drogues, les solvants, certains additifs alimentaires ou l'alcool, entre autres.

Compte tenu des rôles vitaux du foie, il est essentiel qu'il soit en bonne santé. Un foie « surchargé » (qui n'est plus capable de faire face aux besoins de l'organisme) risque d'entraîner fatigue, maux de tête et troubles digestifs.

À quoi servent les reins ?

Les reins aident à préserver de façon très précise la composition chimique du sang. Ils ont plusieurs fonctions. Ils éliminent les déchets filtrés hors du sang en les diluant dans l'urine, ils contrôlent la production des globules rouges par la moelle osseuse, ils participent au maintien de la pression artérielle, ils régulent la quantité d'eau de notre corps et ils équilibrent les éléments chimiques de l'organisme (p. ex., ils veillent, en réabsorbant le calcium, à ce qu'on n'en perde pas trop dans l'urine). Les reins jouent un rôle essentiel dans l'élimination des déchets solubles (dont le plus connu et le plus abondant est l'urée) et ils permettent à l'organisme de récupérer glucose, acides aminés et sels minéraux grâce à des processus de réabsorption sélectifs.

Lexique

A

Acide linoléique : voir Acides gras.

Acide arachidonique : voir Acides gras.

Acides aminés : ce sont les constituants de base des protéines et des peptides. À l'exception des neuf acides aminés essentiels (qui doivent être fournis en totalité par l'alimentation), ils peuvent être synthétisés par l'organisme humain.

Acides gras : (ou lipides) ce sont les constituants des huiles et des graisses. On distingue différents acides gras dont :

- Les **acides gras saturés :** ils sont dits *saturés* lorsqu'ils ne peuvent plus accepter d'hydrogène. Ils font augmenter le taux de cholestérol et ils peuvent constituer un facteur de risque de maladies cardiovasculaires. On les retrouve surtout dans les aliments d'origine animale (à l'exception des huiles de poisson).
- Les **acides gras monoinsaturés** : ils sont dits *monoinsaturés* lorsqu'ils ne peuvent recevoir qu'une seule molécule d'hydrogène. Ils contribuent à faire diminuer le mauvais cholestérol (LDL), voire à faire augmenter légèrement le bon cholestérol (HDL). On les retrouve surtout dans les huiles d'olive et de canola.
- Les **acides gras polyinsaturés** : ils sont dits *polyinsaturés* lorsqu'ils peuvent recevoir plusieurs

molécules d'hydrogène. On en distingue deux types importants, soit:

- Les acides gras **oméga-3**, riches en acide alphalinolénique (ALA), en acide eicosapentaénoïque (EPA) et en acide docosahexaénoïque (DHA). Ils ont de nombreuses vertus qui sont bénéfiques pour le système cardiovasculaire.
- Les acides gras **oméga-6**, dans lesquels on trouve de l'acide linoléique (AL) et de l'acide arachidonique. Même s'ils sont essentiels à l'organisme, les oméga-6 sont instables et une consommation trop importante de ces gras augmenterait le risque de cancer.

Acides gras trans: ils sont obtenus par l'hydrogénation, un procédé qui permet de durcir les huiles pour en faire des shortenings et des margarines, ce qui accroît leur durée de conservation. Les acides gras trans font augmenter le taux de « mauvais » cholestérol LDL et abaisser le taux de « bon » cholestérol HDL dans le sang. Ils sont très présents dans divers produits commerciaux (biscuits, croustilles, etc.).

ADN (ou acide désoxyribonucléique): il s'agit d'une molécule qui est le support de l'hérédité de tous les organismes vivants, une « empreinte génétique », en quelque sorte, qui se transmet d'un organisme à un autre lors du processus de reproduction.

Adrénaline: substance jouant un rôle d'hormone et de neurotransmetteur, sécrétée surtout par la glande médullo-surrénale. Elle accélère le rythme cardiaque, augmente la pression artérielle, dilate les bronches et les pupilles, et élève la glycémie.

Aliments fonctionnels : les aliments fonctionnels sont des aliments qui, en plus de leurs propriétés nutritionnelles de base, renferment des éléments bénéfiques pour la santé ; il peut aussi s'agir d'aliments enrichis (en vitamines, sels minéraux, fibres alimentaires, etc.).

Allergie : hypersensibilité du système immunitaire à des composants qui deviennent des éléments pathogènes pour l'organisme. Près de 2 % de la population adulte souffriraient d'allergies alimentaires, tandis que ce taux est de 5 % à 10 % chez les enfants. Les allergènes les plus fréquents se retrouvent dans les noix et les arachides, les œufs, le lait de vache, le soja ou les fruits de mer. L'**intolérance** (souvent confondue avec les allergies) est une réaction indésirable à un aliment qui affecte la digestion, mais pas le système immunitaire (par exemple, intolérance au lactose ou au gluten du blé).

Anabolisme : une des deux phases (avec le catabolisme) du métabolisme humain, où l'organisme assimile les nutriments essentiels en vue de la biosynthèse des composés dont les cellules ont besoin.

Anémie : caractérise un état de faiblesse générale (pâleur, essoufflement, vertiges, etc.) associé à un manque de globules rouges (hémoglobine) et à un transport inadéquat de l'oxygène par le sang.

Antioxydant : substance capable de protéger les principaux composants des cellules en neutralisant les effets préjudiciables des radicaux libres dans l'organisme. Le corps produit des antioxydants et on en trouve également dans de nombreux aliments.

Artériosclérose : maladie caractérisée par un durcissement des artères, ralentissant la circulation sanguine et pouvant causer un infarctus du myocarde ou un accident vasculaire cérébral.

Arthrite: maladie rhumatismale qui affecte les articulations (inflammation). C'est la plus importante maladie chronique au Canada.

Athérosclérose: maladie caractérisée par l'accumulation de dépôts lipidiques sur la paroi des vaisseaux atteints.

C

Calorie: la calorie mesure la quantité d'énergie contenue dans un aliment qui se transforme tôt ou tard en chaleur. La valeur énergétique d'un aliment est donc égale à la quantité de chaleur dégagée par sa combustion lors de la digestion. La quantité d'énergie se mesure en kilocalorie (1000 calories ou 1 Cal) ou en kilojoule (kJ): 1 Cal = 4,18 kJ. À titre d'exemple: 1 g de glucides fournit 4 Cal ou 17 kJ de nutriment énergétique.

Cancer: maladie qui se caractérise par une croissance «déréglée» de certaines cellules, qui forment alors une masse appelée «tumeur», laquelle envahit les tissus environnants et se propage ailleurs (métastases). Les tumeurs peuvent être bénignes (non cancéreuses) ou malignes (cancéreuses). Maladie multifactorielle (tabac, facteurs génétiques, pollution, etc.). L'alimentation serait le premier facteur environnemental impliqué dans les risques de cancer.

Catabolisme: une des deux phases (avec l'anabolisme) du métabolisme humain, où l'organisme dégrade des molécules complexes en molécules plus simples avec dégagement d'énergie sous forme de chaleur.

Cholestérol : il s'agit d'une substance grasse (lipide) produite par le foie et que l'on trouve exclusivement dans les aliments d'origine animale. Le cholestérol joue un rôle dans le transport des graisses. On distingue le « bon » cholestérol (HDL) et le « mauvais » cholestérol (LDL), qui favorise la « calcification » des vaisseaux sanguins et l'apparition de maladies cardiovasculaires. Les particules de cholestérol HDL ramènent le cholestérol dans le foie, où il est métabolisé. On parle d'« hypercholestérolémie » pour désigner un taux trop élevé de cholestérol dans le sang.

Composés phytochimiques : une grande partie des bienfaits que l'on retire des fruits, des légumes ou des céréales semblent venir des composés phytochimiques (ou phytonutriments). Ces substances uniques sont produites naturellement par les plantes pour se protéger contre les virus, les bactéries et les champignons.

D

Dépense énergétique : voir Métabolisme de base.

Diabète : trouble du métabolisme caractérisé par une élimination excessive d'urine et une sensation de soif intense liée à un trouble de l'assimilation des glucides, lequel est dû à une carence en insuline ou à une action insuffisante de l'insuline. On distingue deux formes de diabète :

- le **diabète de type 1**, dit diabète juvénile parce qu'il apparaît le plus souvent durant l'enfance ou au début de l'âge adulte ; se caractérise par l'absence totale de production d'insuline. Environ 10 % des diabétiques en souffriraient.

- le **diabète de type 2** résulte d'une production d'insuline insuffisante ou bien l'insuline sécrétée ne fait pas son travail adéquatement, entraînant une augmentation du taux de sucre dans le sang.

Digestion : ensemble des transformations que subissent les aliments dans le tube digestif avant d'être assimilés.

E

Énergie : en matière d'alimentation, l'énergie désigne tous les nutriments permettant au corps humain de maintenir chacune de ses fonctions. Les nutriments fournissant de l'énergie (mesurée en kilocalories ou en kilojoules) sont les glucides, les lipides, les protéines et l'alcool.

Enzymes : substances protéiniques permettant ou favorisant des mécanismes métaboliques tels que la digestion, par exemple, en agissant comme des déclencheurs de réactions chimiques. Les coenzymes sont des substances qui permettent l'action des enzymes.

Équilibre acido-basique : équilibre nécessaire entre les substances basiques et acides de l'organisme, calculé en fonction du pH (degré d'acidité) du sang. L'hyperacidité peut entraîner de nombreux problèmes de santé (manque d'énergie, état dépressif, insomnie, maux de tête, douleurs articulaires, eczéma, etc.). Une alimentation équilibrée comportant peu de viande et beaucoup de fruits et de légumes aide à éviter l'hyperacidité.

F

Fibres alimentaires : ce sont des composants végétaux qui résistent à la digestion, mais qui procurent une sensation de satiété, stimulent les contractions de l'intestin et favorisent l'activité bactérienne dans le côlon ; elles réduisent également l'effet des substances nocives sur la muqueuse intestinale.

Flore intestinale : elle est composée de toutes les bactéries (100 000 milliards !) qui vivent naturellement dans notre intestin et qui participent activement au processus de la digestion. Les aliments lactofermentés (une fermentation qui fait intervenir des bactéries de type lactique, comme dans le yogourt, le fromage ou la choucroute), de même que les céréales complètes et les légumineuses ont un impact positif sur la flore intestinale.

Flavonoïdes : ce sont des composés qui ont de fortes propriétés antioxydantes. Ils sont responsables de la couleur des aliments. Les flavonoïdes améliorent la fonction de la vitamine C et protègent de l'oxydation. On les retrouve dans une grande variété de fruits et de légumes et ils ont des effets bénéfiques pour le cœur, les artères, le foie, le système immunitaire, les tissus musculaires et le système nerveux.

G

Glucagon : hormone sécrétée par les îlots de Langherans du pancréas. Il a une action hyperglycémiante.

Glucides (ou hydrates de carbone, ou sucres) : les glucides constituent notre première source d'énergie. Ils se répartissent en glucides simples (monosaccharides), glucides doubles (disaccharides) et glucides complexes (polysaccharides). 1 g = 4 Cal.

Glycémie : taux (ou concentration) de glucose dans le sang.

Glycogène : il constitue la réserve de glucose de notre corps ; il est stocké dans le foie et les muscles.

Graisse hydrogénée : voir Hydrogénation.

H

Hémoglobine : substance protéique contenue dans les globules rouges du sang ; elle contient du fer. Désigne également la couleur rouge ferrugineuse du sang dans les globules rouges. L'hémoglobine assure le transport de l'oxygène dans le corps.

Hormones : substances synthétisées par les glandes de l'organisme et qui, transportées par le sang, exercent une action spécifique sur un autre tissu ou un organe, dont elles stimulent ou inhibent le fonctionnement.

Hydrates de carbone : voir Glucides.

Hydrogénation : voir Acides gras trans.

Hypercholestérolémie : voir Cholestérol.

i

Indice glycémique : il s'agit d'un système permettant de classer les aliments selon leur impact sur la glycémie, en comparaison avec soit du pain blanc, soit du glucose.

Insuline : hormone sécrétée par le pancréas qui active l'utilisation du glucose dans l'organisme en transférant le glucose du sang aux cellules musculaires.

Insulinorésistance : résistance des cellules à l'insuline. Voir Diabète de type 2.

Intolérance : voir Allergie.

K

Kilocalorie : voir Calorie.

Kilojoule : voir Calorie.

L

Lacto-végétarien : voir Végétarisme.

Légumineuses : désigne une famille de plantes dont le fruit est une gousse (soja, fèves, pois, lentilles, etc.).

Lipides (ou graisses) : corps gras renfermant un acide gras ou un dérivé d'acide gras. Les lipides sont une des grandes familles de nutriments essentiels : 1 g lipides = 9 Cal (ou 39 kJ). Ils font partie de la structure des membranes des cellules et ils participent à la synthèse des hormones.

M

Maladies cardiovasculaires : maladies affectant à la fois le cœur et les vaisseaux sanguins. L'alimentation jouerait un rôle important dans la prévention des maladies cardiovasculaires. Parmi les principaux facteurs de risque, retenons l'hypercholestérolémie, l'hypertension, l'obésité et le diabète.

Métabolisme : ensemble des transformations chimiques et physico-chimiques s'accomplissant dans tous les tissus de l'organisme vivant, fournissant l'énergie vitale nécessaire. Le « métabolisme de base » représente la dépense énergétique de l'organisme au repos.

Micronutriment : voir Nutriment.

Molécule : particule de matière associant deux atomes au moins, constituant la plus petite partie d'un composé chimique et qui a les propriétés de ce composé.

N

Neurotransmetteur : substance chimique qui assure la transmission des messages d'un neurone à l'autre.

Nutraceutique : mot formé par la contraction de « nutrition » et de « pharmaceutique » ; un nutraceutique est un produit fabriqué à partir d'aliments, mais vendu sous forme de pilules, de poudre ou d'autres formes médicinales, ayant un effet physiologique bénéfique ou pouvant assurer une protection contre les maladies chroniques.

Nutriment : ce sont les composants nutritionnels des aliments qui sont entièrement et directement assimilés par notre corps. Les nutriments essentiels sont les protéines, les lipides, les glucides, les minéraux, les vitamines et l'eau. Les micronutriments (vitamines, sels minéraux et oligo-éléments) sont ainsi nommés parce que l'organisme n'en a besoin qu'en quantités infimes.

O

Oligoéléments : éléments chimiques (métal ou métalloïde) présents en quantité infime et pourtant indispensables à la vie humaine, animale ou végétale. Les principaux sont le fer, le zinc, l'iode, le fluor, le cuivre, le cobalt, le manganèse et le molybdène.

Oméga (-3, -6) : voir Acides gras.

Ostéoporose : maladie diffuse des os, caractérisée par une détérioration de la matière osseuse (décalcification), entraînant une fragilisation des os et un risque de fracture.

Ovo-lacto-végétarien : voir Végétarisme.

Oxydation : voir Radicaux libres.

P

Phytonutriments : voir Composés phytochimiques.

Phytoestrogènes : composés présents dans de nombreux végétaux. Leur structure chimique ressemble beaucoup à celle de l'œstrogène, la principale hormone sécrétée par les femmes non ménopausées. Ils ont une structure similaire à celle des œstrogènes et ils font partie de notre régime alimentaire. On les associe à une activité biologique anticancérogène. Ils se retrouvent en grandes quantités dans les graines de lin.

Phytostérols : composés naturellement présents dans la fraction lipidique des plantes. Ils ne sont pas synthétisés par l'homme et l'animal, et ils ne peuvent être apportés que par l'alimentation. Plusieurs études ont montré que les phytostérols et les phytostanols réduisent l'absorption du cholestérol dans l'intestin grêle. Cependant, nous devrions en absorber une quantité d'environ 1 g par jour pour qu'ils soient efficaces (la plupart des Occidentaux en absorbent généralement à peine 300 mg par jour).

Précurseur : molécule dont la transformation conduit à un produit endogène biologiquement actif ou à un métabolite essentiel (p. ex., les vitamines).

Probiotiques: micro-organismes (levures, bactéries) qui, ingérés en quantité suffisante, ont un impact positif sur la santé. Ce sont des suppléments (ferments lactiques) qui sont ajoutés à certains aliments et qui contiennent des bactéries vivantes (la plus employée est la bactérie *Bifidobacterium bifidus* que l'on retrouve dans beaucoup de yogourts avec la mention « Bifidus actif »). Ces bactéries « aimables » améliorent l'équilibre de la flore intestinale.

Protéines: il s'agit de l'une des plus importantes classes de molécules responsables de la construction et de la réparation des organismes vivants, caractérisés par la présence d'azote (1g protéines = 4 Cal ou17 kJ de nutriment énergétique).

Provitamine A: substance présente dans certains aliments d'origine végétale et que l'organisme transforme en vitamine A.

R

Radicaux libres: atomes qui, à la suite d'un phénomène normal lié à l'oxydation, se retrouvent avec un électron « libre », ce qui entraîne des réactions en chaîne. Lorsque la prolifération des radicaux libres excède la capacité de l'organisme à les neutraliser, ils jouent un rôle important dans le vieillissement et le développement de diverses maladies. Les **antioxydants** sont des substances capables d'intercepter, de neutraliser ou de réduire les effets négatifs des radicaux libres dans l'organisme.

S

Système immunitaire : système de défense de l'organisme contre certains agents pathogènes (virus ou bactéries) par la production d'anticorps.

T

Thermorégulation : mécanisme régulateur permettant aux êtres humains (et aux animaux homéothermes) de maintenir leur température corporelle quelles que soient leur activité ou la température ambiante. L'hypothalamus agit comme le « thermostat » du corps.

Triglycérides : il s'agit de l'une des deux principales formes de lipides (avec le cholestérol) qui sont présents dans l'organisme. Les triglycérides représentent la forme de stockage des acides gras dans l'organisme. Lorsque le taux de triglycéride est trop élevé, le risque de maladies cardiovasculaires augmente chez certaines personnes.

V

Valeur biologique : on parle de la valeur biologique d'un aliment en fonction de sa valeur protéinique déterminée par la présence d'acides aminés.

Valeur nutritionnelle : c'est la quantité de nutriments contenue dans un aliment. Plus nombreux sont ces nutriments, plus grande est sa valeur nutritionnelle.

Végétalien : voir Végétarisme.

Végétarisme : à la base, le régime végétarien consiste à consommer exclusivement des produits d'origine végétale et aucun produit provenant d'animaux morts. Il existe quatre formes de végétarisme :

- **Ovo-lacto-végétarien :** régime sans viande ni poisson ni leurs produits dérivés, mais avec œufs, lait et produits laitiers.
- **Lacto-végétarien :** régime sans viande ni poisson ni leurs produits dérivés ; sans œufs ; avec lait et produits laitiers.
- **Ovo-végétarien :** régime sans viande, sans lait ni produits laitiers ; avec œufs.
- **Végétalien :** régime sans aucun produit d'origine animale (ni viande, ni poisson, ni produits dérivés – lait, produits laitiers, œufs, miel, etc.).

Vitamine : substance indispensable au développement et au fonctionnement normal de l'organisme et qui ne peut être synthétisée par lui. La liste comprend : la vitamine A (rétinol), la vitamine B1 (thiamine), la vitamine B2 (riboflavine), la vitamine B3 (ou vitamine PP [niacine]), la vitamine B5 (acide pantothénique), la vitamine B6 (pyridoxine), la vitamine B8 (biotine), la vitamine B9 (acide folique ou folacine), la vitamine B12 (cobalamine), la vitamine C (acide ascorbique), la vitamine D (calciférol), la vitamine E (tocophérol) et la vitamine K (phylloquinone).

Pour plus d'info

Réseau canadien de la santé

www.reseau-canadien-sante.ca

Le RCS est un portail offrant une information pratique et fiable axée sur la promotion de la santé et la prévention des maladies. Tous les participants au portail sont des organismes canadiens reconnus.

Santé Canada

www.hc-sc.gc.ca

Santé Canada est le ministère fédéral responsable d'aider la population canadienne à maintenir et à améliorer sa santé. Le portail donne, entre autres, de l'information sur les programmes, les stratégies et la législation en matière de santé, ainsi que sur les médicaments approuvés au Canada.

Agence canadienne d'inspection des aliments

www.inspection.gc.ca

Le rôle de l'ACIA est de faire respecter les normes établies par Santé Canada en ce qui concerne la salubrité et la qualité nutritive des aliments, d'établir des normes en matière de santé des animaux et de protection des végétaux, de veiller à leur application et de procéder à des inspections.

Ministère de la Santé et des Services sociaux du Québec

www.msss.gouv.qc.ca

La mission du MSSS est de maintenir, améliorer et restaurer la santé et le bien-être de la population du Québec en rendant accessible un ensemble de services de santé et de services sociaux. Le portail donne de l'information sur la structure du Ministère et l'organisation des soins de santé et des services, et il touche également divers sujets de santé publique.

Organisation mondiale de la santé

www.who.int

L'OMS a pour but d'amener tous les peuples de la Terre au niveau de santé le plus élevé possible. La santé est abordée par l'intermédiaire d'hyperliens sur divers sujets allant de l'accident vasculaire cérébral aux zoonoses et couvrant de nombreuses zones de la planète, tandis que la nutrition est abordée sous forme d'articles.

Équiterre

www.equiterre.org

Un site incontournable pour tout savoir sur l'agriculture biologique et le commerce équitable. La cofondatrice et présidente d'Équiterre, Laure Waridel, est l'auteure de plusieurs livres, dont *Acheter c'est voter : le cas du café*.

Département de nutrition de l'Université de Montréal
www.mdnut.umontreal.ca

Pour en savoir davantage sur la nutrition en tant que science au carrefour de nombreuses disciplines, telles que la biologie, les sciences du comportement, les sciences de la terre et les sciences sociales.

Université Laval
Institut des nutraceutiques et des aliments fonctionnels (INAF)
www.inaf.ulaval.ca

Un bulletin électronique, un glossaire ainsi qu'une liste d'articles vulgarisés, de communiqués et de rapports de colloques sont mis à la disposition de l'internaute. On pourra également y consulter le répertoire électronique pour tous renseignements sur les chercheurs, les industriels, les produits, les services et les organismes qui gravitent autour du secteur des nutraceutiques et des aliments fonctionnels au Québec.

Ordre professionnel des diététistes du Québec
www.opdq.org

L'OPDQ contribue notamment à une information judicieuse, rigoureuse et d'intérêt public qui permet une prise de décision éclairée en matière d'alimentation. On trouve notamment sur le site des renseignements sur les différentes activités de l'OPDQ, tels que le Mois de la nutrition et les mémoires et prises de position de l'Ordre en matière de santé et de nutrition.

Les diététistes du Canada

www.dieticians.ca

Les diététistes du Canada influent sur les décisions entourant l'alimentation, la nutrition et la santé, et ils établissent les normes en ce qui a trait à la formation des diététistes et à la pratique professionnelle en diététique. On trouve, entre autres, sur leur site des outils interactifs et des jeux-questionnaires.

Harmonie Santé

www.harmoniesante.com

Regroupement de diététistes de l'ensemble du Québec. On y trouve les coordonnées des diététistes membres du regroupement, des questionnaires, des recettes et divers conseils pour améliorer ses habitudes alimentaires.

Extenso

www.extenso.org

Centre de référence sur la nutrition, où l'on trouve notamment un bulletin électronique auquel on peut s'abonner et des articles scientifiques vulgarisés.

Passeport santé

www.passeportsante.net

Portail santé offrant des renseignements sur la promotion de la santé, la prévention des maladies et l'utilisation des médecines douces en conjonction avec la médecine classique. Une encyclopédie des aliments et des nutriments, des recettes, etc.

Minçavi

www.mincavi.com

Minçavi est un programme alimentaire qui s'adresse aux personnes qui veulent perdre du poids ainsi qu'à celles qui veulent apprendre à manger sainement. Minçavi associe la santé au plaisir de manger.

Kilo Cardio

www.energiecardio.com

Des menus et des recettes santé élaborés par des diététistes, avec un entraîneur personnel trois fois par semaine et un suivi avec une nutritionniste.

Dans la même collection

La grippe
Sous la supervision scientifique du Dr Michel Poisson, microbiologiste infectiologue.